Poussières d'étoiles

En couverture : la nébuleuse planétaire de l'Hélice.
Photo Anglo-Australian Telescope Board. À leur mort,
les étoiles dispersent leur matière dans l'espace.
Ces filaments colorés étalés sur des milliards de kilomètres sont
les débris d'un astre qui agonise. Dans ces lambeaux
de matière, les atomes se rencontrent et forment des molécules
et des grains de poussière. De ces poussières naîtront plus tard
des planètes, et de ces molécules,
peut-être, des plantes et des animaux. C'est dans le ciel étoilé qu'il
faut rechercher l'origine de la vie.
4e de couverture : photo Rogier-Doyen/La Source Belgique.

ISBN : 2-02-022407-0
(ISBN 1ère publication : 2-02-006983-0)
© *Éditions du Seuil, octobre 1984, mai 1994*

Hubert Reeves

Poussières d'étoiles

nouvelle édition

Éditions du Seuil

*À tous les bricoleurs de télescopes et de microscopes,
à tous les manipulateurs d'alambics et d'éprouvettes,
à tous ceux qui griffonnent des équations sur un coin de papier,
je dédie ce livre. Nous leur devons la « vision du monde »
illustrée dans ces pages.*

Table

Une pouponnière d'étoiles.

On m'a dit : « Tu n'es que cendres et poussières. »
On a oublié de me dire qu'il s'agissait de poussières d'étoiles.

Une lectrice de *Patience dans l'azur.*

Préfaces

C'est au début des années soixante-dix que j'ai commencé à m'intéresser activement à la vulgarisation scientifique. L'occasion m'en avait été donnée par des séjours familiaux dans les villages de vacances. Nous allions régulièrement « aux Cigales », à Carry-le-Rouet, près de Marseille. Il me suffisait de mentionner ma profession d'astrophysicien pour qu'immédiatement on me suggère une conférence, le soir, au clair des étoiles. J'ai été stupéfait de l'intérêt, de la passion même, que ces sujets astronomiques pouvaient susciter. Des gens n'ayant quelquefois aucune connaissance scientifique, aucune familiarité avec l'astronomie, me pressaient de questions jusqu'à des heures avancées de la nuit.

De là, je conçus le projet d'écrire un livre. J'imaginai un très bel album, accueillant quelques-unes des plus saisissantes images du ciel. Des photographies prises par des observatoires astronomiques et les sondes spatiales de la NASA. Un texte approprié aurait répondu aux interrogations multiples de mes auditeurs ; à l'intérieur d'une trame cohérente, il aurait raconté l'histoire de l'univers depuis le chaos initial jusqu'à l'être humain.

Ce fut *Patience dans l'azur.* L'iconographie n'y est pas totalement absente. Une quarantaine de photos en noir et blanc regroupées en fin de volume présentent quelques-uns des spectacles de l'univers. Mais, inutile de le dire, ces clichés de format réduit ne rendent pas justice à la richesse des documents visuels que l'astronomie nous fournit.

Aujourd'hui, grâce aux Éditions du Seuil, je peux reprendre mon rêve initial et présenter au public ce florilège de belles images cosmiques.

Malgré mes efforts, il semble que *Patience dans l'azur* soit, pour beaucoup, d'une lecture difficile. Le texte suppose, certes, une familiarité avec les notions de la physique. Mais le courrier abondant reçu à la suite de ce livre montre que ces sujets astronomiques intéressent le plus large public. L'album que voici est donc une nouvelle tentative pour répondre à cette attente. Le thème en est le même mais, à la différence de *Patience dans l'azur*, les images ici prédominent, et le texte qui les accompagne se veut plus simple, plus accessible à tous ceux que passionnent les choses du ciel (et de la Terre), quelles que soient leurs connaissances et leur sensibilité.

J'en ai profité pour développer certains points trop brièvement traités dans *Patience dans l'azur*, pour avancer certaines vues personnelles, en réaction aux lettres que j'ai reçues, à leurs interrogations et aux réflexions qu'elles m'ont inspirées. Grâce à ce courrier, j'ai eu l'occasion de rencontrer plusieurs de mes lecteurs, de parler avec eux, d'entrer en contact avec leur vision du monde, avec leur vécu et leur expérience. Ces rencontres m'ont été très profitables. Je tiens à le mentionner et à remercier ceux qui ont été pour moi une telle source d'enrichissement.

Septembre 1984

Cette version de *Poussières d'étoiles* reprend le texte initial avec un certain nombre de mises à jour. Dans ce petit format, les images sont naturellement moins glorieuses. Ce désavantage sera partiellement compensé, du moins je l'espère, par son prix modique qui le rendra plus généralement accessible.

Mars 1994

1. « Les soleils couchants revêtent les champs d'hyacinthe
et d'or. Le monde s'endort dans une chaude lumière » (Baudelaire).
Derrière cette image familière se cache, pour le physicien,
une réalité autrement étonnante. Le Soleil est un gigantesque
laboratoire de physique nucléaire. Retenue par la puissance
de sa propre gravitation, sa matière centrale est portée à seize
millions de degrés. À ces températures, les réactions
nucléaires entrent en œuvre. Elles soudent les particules
en noyaux atomiques. Le Soleil transforme de l'hydrogène
en hélium. De cette fusion émerge sa lumière.

Il a fallu, pour nous engendrer, des creusets dont
la température dépasse le milliard de degrés, des explosions
stellaires et des éjections de matière incandescente.

Le spectacle du monde

C'est Galilée qui, le premier, a regardé le ciel avec une lunette astronomique. En quelques nuits, il découvre tour à tour les montagnes de la Lune, les satellites de Jupiter et les étoiles de la Voie lactée. Cela se passe en 1609. Il y a moins de quatre siècles. Depuis, grâce à l'amélioration des instruments d'observation, les astronomes ont découvert un grand nombre d'astres nouveaux, comme les nébuleuses, les galaxies et, plus récemment, les pulsars, les quasars. L'humanité doit à l'astronomie une riche moisson d'images célestes, tout comme elle doit à la biologie le spectacle de la vie microscopique. L'homme d'il y a quelques siècles ignorait tout des galaxies et des microbes. C'est grâce à la technologie que ces réalités sont entrées dans son champ de connaissance.

Paul Éluard écrivait : « Le poète est celui qui "donne à voir". » Dans le même esprit, on peut dire que l'astronomie « donne à voir ». Un des buts de ce livre est d'amener le lecteur à partager les sentiments d'admiration et d'exaltation qu'éprouve l'astronome devant la beauté de ces paysages nouveaux.

Ces images célestes, au même titre que les images de la nature terrestre, enrichissent l'imagination. À ce titre, elles peuvent jouer un rôle dans le développement de la personnalité, dans l'éclosion de la créativité. Mais la beauté de l'univers, reconnaissons-le, n'est pas à notre mesure. Ce qui nous frappe, c'est l'extravagance de ce qui nous entoure. Les dimensions d'abord. Les étoiles que nous regardons la nuit, à l'œil nu, sont à des centaines de milliers de milliards de kilomètres. Certaines galaxies observées par nos télescopes sont un milliard de fois plus loin encore... À ce niveau, bien sûr, les chiffres ne parlent plus à l'imagination.

Il en va de même de la violence des événements qui se succèdent dans l'univers. L'explosion d'une étoile massive libère plus d'énergie qu'un milliard de milliards de bombes H. Et certains noyaux de galaxies (par exemple, les quasars) émettent à chaque seconde encore un million de fois plus d'énergie. Notre Soleil est une étoile modeste. Pourtant, quand il mourra, dans cinq milliards d'années, il nous volatilisera avec la désinvolture et l'inconscience d'un éléphant qui marche sur une araignée.

Abrités derrière notre atmosphère, à la surface tiède et douillette de notre planète, nous vivons dans un espace protégé. Presque partout ailleurs, la vie humaine serait impossible. Le moindre soubresaut stellaire nous anéantirait inexorablement...

« Le silence éternel de ces espaces infinis m'effraie », disait Pascal. Il ignorait que ces espaces palpitent d'explosions monstrueuses, de cataclysmes chroniques. Avait-il l'intuition de ces événements démesurés dont aucun écho ne venait troubler sa nuit ?

Ainsi, au sentiment d'admiration que nous procurent les spectacles du ciel se joint un sentiment d'inquiétude, voire de terreur. De là-haut, rien ne nous regarde, tout nous est étranger, tout nous dépasse, tout nous menace.

Mais la science moderne nous présente, en même temps, une autre vision du monde. Rien de tout cela ne nous est indifférent. *C'est à la démesure du ciel que nous devons notre existence.* Il a fallu, pour nous engendrer, des creusets dont la température dépasse le milliard de degrés, des explosions stellaires et des éjections de matière incandescente à des vitesses voisines de celle de la lumière.

L'univers a maintenant quinze milliards d'années environ. Il s'étend sur plus de quinze milliards d'années-lumière (c'est-à-dire sur plus de cent mille milliards de milliards de kilomètres). Ces dimensions, inimaginables, n'ont rien d'excessif. *Il n'en fallait pas moins pour nous mettre au monde.*

L'histoire de la matière qui s'organise

Nous commençons à comprendre la longue odyssée de notre apparition dans l'univers. Nous arrivons à retracer, avec plus ou moins de succès il est vrai, les principaux chapitres qui la composent. Dans certains cas, nous pouvons, grâce à des documents photographiques, observer directement les lieux où les événements cruciaux se sont produits.

Mon but, en écrivant ce livre, c'est de présenter et de commenter ces documents historiques, sur ce qu'on pourrait appeler les « hauts lieux de la fertilité cosmique ». Ils marquent les points forts de notre passé. À ce titre, ils nous intéressent au premier chef. Mais avant d'aborder cette narration illustrée, je voudrais en présenter une version abrégée et simplifiée. Elle nous aidera plus tard à ne pas perdre le fil.

L'histoire de l'univers, c'est l'histoire de la matière qui s'organise. Quand l'univers « apparaît » (il y a environ quinze milliards d'années), c'est le désordre, le chaos complet. Il n'y a, d'une part, aucun organisme vivant, aucune molécule, aucun atome, aucun noyau, et, d'autre part, aucune planète, aucune étoile, aucune galaxie. C'est une grande purée dans laquelle nagent ce que les physiciens appellent des « particules élémentaires ». On peut se les représenter comme des « billes » microscopiques, sans structure, sans architecture, sans pedigree. Tout au long des ères, ces particules vont s'associer pour former des systèmes complexes. Ces nouvelles unités vont elles-mêmes s'associer pour créer des systèmes plus évolués encore. Or, plus un système est complexe, plus il est capable d'agir sur son entourage et plus il est « performant ». Le système le plus évolué à notre connaissance, c'est l'être humain. Quand vous fermez les yeux et prenez conscience de votre propre existence, quand vous ouvrez les yeux et observez l'univers, vous accomplissez la plus grande performance jamais réalisée.

Nos corps sont constitués d'une centaine de milliards de milliards de milliards de particules élémentaires (il n'y a pas

2. La nébuleuse du Crabe. Dans un jaillissement cataclysmique,
une étoile a explosé. Sa lumière a voyagé pendant six mille ans,
avant d'atteindre notre planète. Le matin du 4 juillet 1054,
elle a illuminé notre ciel. Des torrents de matière stellaire ont
déferlé dans l'espace. La nébuleuse s'étend sur plusieurs mois-
lumière. Dans ces filaments rouges et jaunes sont enfermés
les fruits de la moisson stellaire.
Comme nos accélérateurs terrestres, les rémanents
de supernovae projettent des particules atomiques à des vitesses
voisines de celle de la lumière. Ces particules émettent la lueur
bleue visible dans la figure 7 du chapitre VI.
Elles s'échappent ensuite du rémanent et se propagent dans
l'ensemble de notre Galaxie. Les explosions de supernovae
constituent une des sources majeures du rayonnement cosmique.

qu'e   l'on rencontre des nombres
extr   s particules sont impliquées dans
une   complexité époustouflante. Pour
po   ut que des myriades de molécules
d'   ce de l'atmosphère, soient pompées
da   hiculées par les globules rouges de
m   mon cerveau et, de là, distribuées à
d   nes qui se chargent et se déchargent
p   onde. Il faut aussi que, par des cycles
            nent sophistiqués, ma nourriture soit
            t assimilée par chacune des dizaines de
            qui composent mon corps. Il faudrait
            ntières pour décrire ce qu'aujourd'hui
            ctions chimiques essentielles à la vie. Et
            effleuré le sujet.

Ces que   nt milliards de milliards de milliards de particules existaient déjà dans le chaos initial de l'univers. Nous connaissons leur nature. Ce sont d'abord les *électrons,* ceux-là mêmes qui circulent dans nos fils électriques. Et aussi les *quarks,* une espèce que nous connaissons depuis quelques années seulement. Pour le physicien contemporain, ces particules sont, avec quelques autres, les unités fondamentales de la matière.

Quel contraste entre l'état initial de ces particules et leur état présent ! Au début, isolées et indépendantes, elles erraient dans un magma chaotique. Aujourd'hui, dans un être humain par exemple, elles sont intégrées dans un système extraordinairement complexe et superbement organisé.

Comment l'ordre a-t-il émergé du chaos ?

Les laboratoires cosmiques de la vie

Dans une succession de laboratoires cosmiques, des *forces* se sont mises à l'œuvre pour associer les particules. En visitant ces laboratoires, nous observerons la gestation de la complexité cosmique.

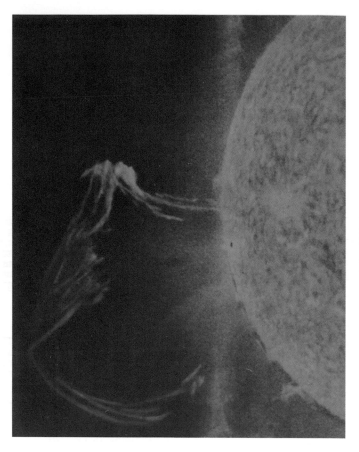

3. La surface du Soleil est le siège d'événements d'une grande violence. Des torrents de gaz enflammés déferlent sur le disque. À certains moments, des langues incandescentes s'échappent dans l'espace et dessinent des arches majestueuses. Ces sursauts d'activité accélèrent des particules atomiques à des vitesses voisines de celle de la lumière. Le Soleil est une des sources du rayonnement cosmique.

Un rayonnement appelé à jouer des rôles multiples et cruciaux dans l'élaboration de la complexité cosmique.

Le physicien dénombre quatre forces. Il y a d'abord la *gravité*, qui fait tomber les pommes et maintient la Terre en orbite autour du Soleil. Il y a ensuite la force *électromagnétique*, responsable de tous les phénomènes électriques et magnétiques. C'est elle qui gouverne les réactions chimiques, y compris celles de notre physiologie interne. Elle provoque aussi l'émission de la lumière. Dans le cadre de notre narration, nous pourrions aussi bien l'appeler la force chimique. Et puis, il y a deux autres forces que nous allons regrouper ensemble : la force *nucléaire* dite *forte*, et la force *nucléaire* dite *faible*. Elles sont responsables de l'explosion des bombes thermonucléaires et du fonctionnement des réacteurs. Grâce à elles, les noyaux des atomes obtiennent leur cohésion et leur stabilité. C'est pour cela qu'elles nous intéressent ici.

Le premier laboratoire de la Nature occupe l'univers tout entier. Il fait intervenir la force nucléaire. Un millième de seconde environ après le début de l'univers, les quarks se combinent trois par trois pour donner des *protons* et des *neutrons* (c'est-à-dire les nucléons). C'est, à notre connaissance, le premier chapitre de l'organisation de la matière. À partir de cette synthèse des quarks, les nucléons sont des systèmes organisés.

Un million d'années plus tard, la force de gravité entre en œuvre. Cette fois, l'univers devient un laboratoire de gravité. La purée universelle se scinde et se fragmente. Ici et là, des espèces de grumeaux se forment. Ce sont les galaxies. Dans ces grumeaux, d'immenses masses de matière se rassemblent, se condensent et donnent naissance aux étoiles.

La condensation de cette matière provoque un accroissement rapide de sa température. Les étoiles deviennent à leur tour des laboratoires, mais cette fois de physique nucléaire... Ici, protons et neutrons se combinent pour donner des *noyaux* atomiques. Ces noyaux formeront plus tard le cœur de tous nos *atomes* familiers : le carbone, l'azote, l'oxygène, le fer, le cuivre, le plomb, l'or, etc. Il y en a une centaine, dûment répertoriés dans tous les livres de physique et de chimie. Au cœur des étoiles, la température atteint des millions et même des milliards de degrés. Ces températures sont nécessaires pour que les noyaux se forment, et ces noyaux sont nécessaires pour que les molécules de notre corps existent. Voilà en quoi les étoiles et leurs propriétés extravagantes nous concernent. Tous les noyaux des atomes qui nous constituent ont été engendrés au centre d'étoiles mortes il y a plusieurs milliards d'années, bien avant la naissance du Soleil. Nous sommes en quelque sorte les enfants de ces étoiles.

En ce sens, l'histoire des étoiles devient prodigieusement intéressante. Aujourd'hui, nous commençons à la connaître assez bien. Et surtout, nous possédons sur son déroulement une riche collection de documents photographiques. Les accouchements ainsi que les agonies stellaires donnent lieu à des spectacles d'une splendeur grandiose. Elles seront bien représentées dans les pages de ce volume. Non seulement parce qu'elles sont belles, mais aussi à cause de leur signification profonde dans notre propre histoire.

Résumons-nous : les quarks s'associent trois par trois pour engendrer les nucléons dans la grande purée initiale de l'univers. De vastes nappes de matière s'assemblent pour former des galaxies et des étoiles. Des dizaines de protons et de neutrons se combinent pour former des noyaux atomiques à l'intérieur du brasier stellaire. L'histoire va se poursuivre dans les grands froids interstellaires où la matière de l'étoile est projetée après sa mort. Cet espace devient un gigantesque laboratoire gouverné par la force électromagnétique (que nous avons appelée aussi la force chimique).

Il s'y passe une activité fébrile. Les noyaux capturent des électrons pour devenir des *atomes,* les atomes s'associent entre eux pour devenir des *molécules.* Il y a en particulier l'eau (hydrogène et oxygène), qui jouera un rôle si important dans l'élaboration de la vie animale et végétale. D'autres molécules regroupent jusqu'à 10 ou 12 atomes. On y trouve aussi de l'alcool éthylique, celui de nos vins. Cet alcool est composé de 2 atomes de carbone, 1 atome

4. Le sol aride de la Lune ne se prête pas aux jeux féconds
des combinaisons moléculaires. Il reste gris et stérile.

d'oxygène et 6 atomes d'hydrogène (soit 46 nucléons), soit
184 particules élémentaires (quarks et électrons). Voilà un
bel exemple d'un système relativement complexe, engendré
dans l'espace, à partir de noyaux soudés à l'intérieur des
forges stellaires. Grâce à sa complexité, cette molécule
possède plusieurs propriétés chimiques fort intéressantes
que les humains d'ailleurs n'ont pas tardé à découvrir et à
exploiter (quelquefois abusivement...).

J'ai tenu à marquer un temps d'arrêt pour saluer au
passage l'apparition de cette molécule. C'est à peu près la
structure la plus complexe que les espaces galactiques aient
engendrée. Il importe de le noter, les molécules inter-

stellaires sont très largement répandues dans notre univers. Nous en avons détecté non seulement dans les grands nuages de matière qui traînent au long de notre Voie lactée, mais aussi au sein des galaxies voisines. Nous avons des raisons de croire qu'elles se retrouvent dans toutes les galaxies. Ces observations deviendront particulièrement significatives quand nous aborderons le problème de la vie dans l'univers.

En même temps que les molécules interstellaires, les premiers grains de poussière apparaissent dans les lambeaux de matière éjectée des étoiles mortes. Ce sont de petits corps solides aux dimensions microscopiques. Ces grains de poussière, par myriades, se répandent dans l'espace et obscurcissent de vastes régions du ciel. Plus tard, à l'occasion de la naissance d'une nouvelle étoile, ils vont s'associer pour former des planètes rocheuses, comme la Terre.

C'est à la surface de telles planètes que se déroulera la phase suivante de l'organisation de la matière. La présence de nappes océaniques va jouer un rôle primordial. L'eau crée des conditions hautement favorables aux jeux des combinaisons atomiques et moléculaires. Dans l'océan primitif de la Terre, on verra apparaître, grâce à d'innombrables réactions chimiques, des molécules de plus en plus complexes. Certaines vont regrouper des centaines de milliers, voire des millions d'atomes. Avec ces systèmes apparaîtront des propriétés nouvelles, inconnues jusque-là dans l'univers. Certaines molécules pourront se « nourrir », d'autres se diviser pour se multiplier, d'autres encore stocker des informations complexes.

Une fois encore, la Nature utilise sa recette favorite : l'association des systèmes. Des molécules « spécialisées » vont se regrouper pour engendrer des cellules. Ce sont les premiers « vivants » de l'océan primitif. Ils se meuvent, se nourrissent, se multiplient et transmettent à leurs enfants leurs caractères héréditaires.

Cette recette sera à nouveau utilisée au niveau des cellules pour donner des êtres « pluricellulaires ». Les méduses en sont un premier résultat. Au cours des ères, la vie terrestre va se ramifier en plantes et en animaux. Les lignées diverses évolueront, acquérant des propriétés nouvelles, accroissant leur capacité d'interaction avec l'environnement. Jusqu'au jour, encore très récent, où émerge la conscience humaine : le regard de l'observateur sur cet univers qui l'a engendré.

La vie est universelle

Qu'est-ce que la vie ? Jusqu'au siècle dernier, on distinguait soigneusement matière « vivante » et matière « inerte ». Où placer la frontière ? Mes ongles, l'émail de mes dents sont-ils vivants ? Aujourd'hui, à la lumière de nos connaissances scientifiques, on est tenté de redéfinir la vie comme *cette tendance mystérieuse et universelle de la matière à s'associer, à s'organiser, à se complexifier.* Les vies animales et végétales en sont à notre connaissance les phases les plus évoluées. Leur présence est tributaire des phases antérieures, nucléaires, atomiques, moléculaires, décrites auparavant. Cette tendance à s'organiser existe dès le début de l'univers. Elle s'exprime par ces « forces » qui s'exercent entre toutes les particules élémentaires.

Au début de l'univers, ces forces étaient en quelque sorte en léthargie. Les très hautes températures de cette époque leur interdisaient toute activité organisatrice. C'était le chaos. Puis, tour à tour, et à leur rythme, ces forces se sont mises à l'œuvre.

Elles ont construit, par étapes successives, ce qu'on pourrait appeler « l'infrastructure de la conscience ». Les protons et neutrons, ainsi que les noyaux, sont l'œuvre des forces nucléaires (la forte et la faible). Les atomes et les molécules sont l'œuvre de la force électromagnétique. Les étoiles et les galaxies sont l'œuvre de la force de gravité, tout comme d'ailleurs notre système solaire.

Nous savons aujourd'hui que ces forces existent partout dans l'univers et qu'elles ont, en tout point, la même intensité. Aussi loin que nous portions notre regard, la présence des galaxies et des étoiles nous apprend que la gravité est à l'œuvre. L'analyse de la lumière émise par les quasars à l'autre bout de l'univers nous certifie que, là-bas comme ici, les atomes sont édifiés par le même jeu de la force nucléaire (pour le noyau) et de la force électromagnétique (pour le cortège des électrons). Tous nos éléments chimiques se retrouvent à la surface des étoiles, et l'on n'a jamais détecté dans l'univers une seule variété d'atome qui n'existe pas dans nos laboratoires.

En d'autres mots, cette tendance de la matière à s'organiser et à se complexifier est *universelle*. Nous détectons ses fruits chaque fois que nos moyens d'observation nous le permettent.

La vie existe-t-elle ailleurs, sur d'autres planètes ? Dans d'autres galaxies ? Jusqu'ici, nos antennes radio n'ont reçu aucun message révélateur. Pourtant, beaucoup d'astrophysiciens croient que la réponse est affirmative. À la lecture des paragraphes qui précèdent, on aura déjà compris pourquoi... *C'est l'universalité des forces de la nature, l'omniprésence de cette tendance à l'organisation qui fondent cette croyance.* Si, partout, les quarks sont associés en protons et neutrons, si, dans toutes les étoiles, protons et neutrons fusionnent en noyaux atomiques et si, dans tous les lambeaux de matière stellaire, des molécules et des grains de poussière s'élaborent dans l'espace, comment penser que la séquence s'arrête là ? Les étoiles voisines sont trop loin pour nous laisser voir leurs hypothétiques planètes. Mais on peut supposer que, dans tout l'univers, les poussières interstellaires s'associent pour édifier des planètes. Que certaines de ces planètes ont des océans. Que, dans ces océans, un ensemble de réactions amorce la trame de l'évolution biochimique et biologique.

C'est sur cette argumentation (dont chacun à sa guise appréciera la valeur) que repose l'idée de civilisations plus ou moins semblables à la nôtre, parmi les galaxies que révèlent nos télescopes. Mais, bien sûr, la preuve définitive ne pourrait venir que de l'observation directe.

5. La Terre primitive présentait des paysages semblables à ceux de la Lune. La vie les a profondément transformés.

Combien de temps faut-il pour engendrer un être intelligent? Il faut d'abord faire des étoiles à partir de la purée initiale. Puis il faut que ces étoiles vivent leur vie et rejettent leur moisson d'atomes dans l'espace. Il faut ensuite que ces atomes se combinent en molécules et en poussières. Que ces grains de poussière s'accumulent en planètes rocheuses lors de la naissance d'une nouvelle étoile. Finalement, il faut assurer le cours de l'évolution chimique et biologique à la surface de cette planète. Nous connaissons plus ou moins bien la durée de chacune de ces opérations. En faisant la somme, on arrive à un minimum de plusieurs milliards d'années. Faut-il s'étonner que l'univers ait déjà quinze milliards d'années? Il ne lui en faut pas moins pour engendrer un être capable de conscience, capable de lui demander son âge...

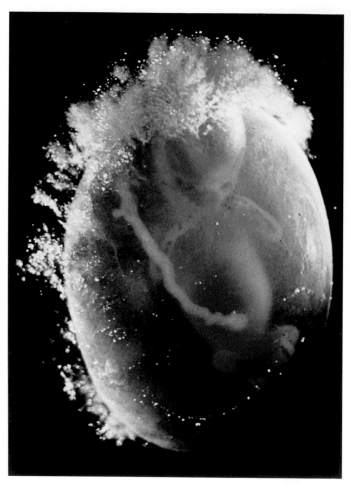

6. Comme les cellules de la mer primitive, l'embryon humain
se développe dans l'eau du ventre maternel. Dans l'ordre
déterminé par les messages de l'ADN, le corps s'allonge,
le cerveau se développe, les membres poussent
et les yeux se préparent à voir. L'univers s'apprête
à prendre conscience de lui-même.

La « matière » est merveilleuse

Dans cette optique nouvelle sur la vie, reprenons le débat des mécanicistes et des vitalistes de la fin du siècle dernier. Pour les vitalistes, il y a une différence essentielle entre la matière vivante et la matière inerte. Il y a une sorte de « principe de vie » (peut-être insufflé de l'extérieur par une instance supérieure, une divine providence). La vie n'apparaît pas spontanément dans la matière. Aussi marquent-ils un sérieux point quand Pasteur, par une série d'expériences minutieuses, démontre que la génération spontanée est un mythe. Derrière la conviction des vitalistes, il y a à peu près ceci : la « vie » est merveilleuse, miraculeuse. La matière inerte n'est qu'une mécanique aveugle. Comment l'un peut-il naître de l'autre ?

Pour les mécanicistes, il n'y a pas de principe de vie. Le « miracle » est une illusion. Quand la science aura suffisamment progressé, on saura que, comme la matière inerte, la vie se réduit à une mécanique. Et, de plus, la démonstration de Pasteur ne prouve rien. La génération spontanée n'existe plus maintenant, mais elle a pu exister dans le passé au moment où les conditions étaient très différentes.

Aujourd'hui, nous dirions aux vitalistes : vous avez raison d'insister sur l'aspect merveilleux de la vie. Mais il faut l'étendre à la matière tout entière. Aux mécanicistes, nous dirions : vous avez raison d'insister sur la continuité entre la matière et le vivant, mais ni l'un ni l'autre ne se « réduisent » à une mécanique aveugle. Si la génération spontanée a pu avoir lieu dans l'océan primitif, c'est que, dès le début, la matière était douée des propriétés requises pour lui en assurer l'existence.

Reconnaissons que nous sommes amenés ici à une vision du monde bien étonnante. Un univers qui prend conscience de lui-même. Il nous a suffi de juxtaposer les enseignements des sciences. La *biologie* nous apprend que l'homme est le produit d'une longue évolution animale à partir de la

cellule. La *biochimie* rend très vraisemblable l'idée que la
cellule est le fruit d'une chaîne de réactions chimiques à
partir de quelques molécules simples. L'*astrophysique* nous
montre comment ces molécules se sont formées dans
l'espace à partir de noyaux atomiques engendrés dans les
creusets stellaires. Elle nous amène aussi à l'image d'une
explosion initiale à l'échelle de tout l'univers dans laquelle
les quarks sont combinés en protons et neutrons, ensuite
soudés en noyaux au sein des étoiles. C'est Pascal qui serait
étonné d'apprendre à quel point ces « espaces infinis » le
concernent ! À la phrase de Claude Lévi-Strauss,
« L'univers est né sans l'homme et mourra sans l'homme »,
je préfère celle du physicien Freeman Dyson : « L'univers
savait, quelque part, que l'homme allait venir ».

Apologie de la recherche fondamentale

En période de crise économique, on est tenté de réduire
les budgets de la recherche, de les concentrer sur les
projets à rentabilité immédiate. Invité récemment par
l'université de Montréal à défendre les objectifs de la
recherche fondamentale, j'ai choisi d'évoquer l'angoisse
pascalienne devant le silence des espaces sidéraux. Trois
siècles nous séparent de Pascal. Des milliers de
chercheurs, humbles ou célèbres, dans des laboratoires
éparpillés à la surface du globe, ont scruté les mystères des
atomes et des galaxies.

Grâce à leurs travaux, nous savons que le ciel ne nous est
pas étranger. Nous lui devons l'existence. Sur cette thèse, la
majorité des scientifiques est aujourd'hui d'accord. Il s'agit
d'un acquis à l'échelle de l'humanité. La valeur de cet
acquis déborde, me semble-t-il, le domaine purement
intellectuel. À plusieurs reprises, des témoignages
épistolaires m'ont fait sentir son influence positive au plan
psychologique. Pour paraphraser l'Évangile : « L'homme ne
se nourrit pas que de pain »... La recherche fondamentale
peut-elle trouver meilleure justification ?

La géographie céleste

L'histoire ancienne de l'être humain se passe en grande partie dans le ciel. C'est à l'intérieur des étoiles que se forment les noyaux des atomes qui composent notre corps, le carbone, l'azote, l'oxygène et les autres. C'est dans les espaces froids entre les étoiles que les atomes se combinent pour constituer les molécules de notre vie : l'eau, le gaz carbonique, etc. Ces molécules, nous les observons dans les nuages ou nébuleuses interstellaires, comme la nébuleuse d'Orion. Ce sont d'immenses nappes de matière visibles dans la Voie lactée.

Pour bien percevoir la réalité de cette histoire, je recommande au lecteur de se familiariser avec la voûte étoilée, visible au-dessus de nos têtes par les belles nuits sans Lune. Qu'il reconnaisse les constellations, qu'il arpente des yeux la majestueuse Voie lactée et son cortège de nuages sombres et lumineux. Qu'avec des jumelles (ou un télescope) il admire la nébuleuse d'Orion ou la grande galaxie d'Andromède. La narration prendra un relief autrement saisissant...

L'éclairage électrique est, bien sûr, une invention épatante. Pourtant, tout n'est pas que bénéfice. L'habitant d'une grande ville ne voit plus le ciel étoilé. « Cette obscure clarté qui tombe des étoiles » lui est étrangère. Qui, de nos jours, sait reconnaître les constellations ? L'homme antique vivait en étroite relation avec le ciel nocturne. La nuit tombée, les étoiles devenaient sa réalité, son contact avec le vaste univers. Les lampadaires ont éteint le ciel et rompu la relation. Les étoiles, aujourd'hui, sont des êtres fictifs.

Un incident m'a révélé l'étendue de cette aliénation. Les moniteurs d'une colonie de vacances m'ont invité à « montrer » les étoiles aux enfants. Le ciel était couvert.

Je me présente à la colonie avec quelques photos astronomiques à commenter. « Ce n'est pas cela que nous
voulons, me dit un moniteur. Pourquoi ne pas nous montrer
les constellations ? » À mon grand étonnement, j'ai dû lui
expliquer que les constellations ne sont pas visibles quand
le ciel est couvert, parce que les nuages nous empêchent de
les voir. Ce garçon n'avait jamais quitté la ville. La réalité
du ciel étoilé lui était totalement étrangère. En fait, il ne la
connaissait, m'a-t-il dit, que par le cinéma.

Il s'agit d'un cas un peu extrême, mais qui illustre un
phénomène assez général : l'aliénation de l'homme
moderne par rapport à la nature. Les impératifs du confort
nous imposent un cadre de vie physique artificiel, fait de
matériaux préfabriqués, de produits aseptisés et d'air
conditionné. Nos voitures sont des forteresses de métal qui
nous présentent le monde à travers leurs vitres teintées.

Le « primitif », Indien d'Amérique, aborigène d'Australie,
possédait son territoire. Sur des dizaines de kilomètres carrés,
la moindre colline, la moindre caverne lui étaient familières.
Le citadin d'aujourd'hui se contente de reconnaître son
entrée d'autoroute et l'endroit où il peut garer sa voiture ! La
ville de Tokyo est un incroyable labyrinthe de rues sous
lequel on a creusé un métro très moderne. La majorité des
habitants n'ont aucune idée de la géométrie de leur ville. Il
m'a fallu beaucoup de démarches pour en obtenir un plan
détaillé. Un soir, après un spectacle de théâtre kabuki, des
amis japonais m'ont proposé de poursuivre la soirée dans une
autre salle de spectacle. Il fallait, selon eux, prendre le métro
et effectuer deux changements de ligne. En consultant mon
plan, j'ai constaté, à leur grande surprise, qu'il suffisait de
marcher dix minutes...

Pour s'approprier un territoire, il faut l'arpenter
longtemps. Avec les pieds pour le sol, avec les yeux pour le
ciel. Reconnaître les étoiles, les constellations, c'est habiter
l'espace, c'est sentir notre appartenance cosmique. Il y a
plaisir à retrouver Orion dans le ciel étoilé, quand l'automne
s'achève et que le froid s'installe. Je la revois par la
mémoire sur les montagnes enneigées des Laurentides.

1. Voici la lumière terrestre, telle qu'elle a été observée à quelques milliers de kilomètres d'altitude par les astronautes de la mission Apollo XVII. Cette image nous apporte, d'un coup, les réponses à des questions qui ont préoccupé l'humanité pendant des milliers d'années. La Terre est ronde ; on peut en mesurer le diamètre ; on peut en faire le tour. Nous vivons sur un astre. Loin d'être le socle immobile de l'univers, notre Terre est un corps céleste, comme le Soleil, la Lune et les autres planètes du système solaire. Nous habitons le monde stellaire. Rien d'étonnant à ce qu'il faille y chercher les lieux de notre naissance.

Quant aux nuits d'août, elles sont balisées par le triangle de l'été : Véga, Deneb et Altaïr, près de la Voie lactée. Les constellations, comme les fleurs et les oiseaux, marquent le retour des saisons.

Pour notre première leçon de géographie céleste, repérons d'abord l'étoile Polaire, dans le prolongement des deux étoiles qui dessinent le bord opposé au manche de la casserole de la Grande Ourse. Toutes les étoiles, toutes les planètes nous paraissent tourner autour de la Polaire. Petit cercle pour celles qui en sont rapprochées, cercle plus grand pour les plus lointaines.

Essayons de repérer, dans le ciel, la région où circule le Soleil. C'est une bande relativement étroite qui part de l'horizon à l'est, s'élève en direction du sud et redescend à l'ouest. Le jour, elle est plus élevée en été, plus basse en hiver. C'est dans cette bande, appelée le zodiaque ou l'écliptique, que la Lune se déplace. Là, et là seulement, on trouve les planètes. Inutile de chercher ailleurs Jupiter, Saturne ou Mars. Comme le Soleil, comme la Lune, ces planètes se lèvent à l'est, se couchent à l'ouest après avoir culminé au sud. (Pourquoi ces astres sont-ils confinés à cette région du ciel ? Pourquoi Vénus n'est-elle jamais visible près de l'étoile Polaire ? La réponse nous viendra tout naturellement quand nous aurons fait un peu plus d'astronomie.)

Le grand voyage dans l'espace

Élevons-nous par la pensée dans l'espace. En bas s'estompent nos objets familiers. Les dessins des côtes se composent comme dans les livres de géographie. Après quelques milliers de kilomètres, la Terre nous apparaît dans son ensemble (fig. 1). Pour démontrer que la Terre est ronde, les Grecs entreprenaient de longs voyages dans les déserts de l'Afrique. De là-haut, nous le découvrons immédiatement. C'est une boule (pourquoi est-ce une boule ? la réponse nous viendra plus tard). Vu d'ici, le ciel

2. Coucher de soleil derrière notre Terre, photographié
par une sonde spatiale. Au moment de disparaître,
la lumière solaire illumine, par diffraction, la couche
d'air qui entoure notre planète.
Comme cette couche est mince dans l'immensité
de l'espace ! Mais c'est un lieu privilégié de l'univers.
Ici sont les hauts sommets atteints dans l'ascension
de la matière vers l'organisation.
En ce lieu, on se pose des questions sur l'origine
de l'univers...

3. En 1609, Galilée observe la Lune avec son télescope. Il y découvre des montagnes (chap. I, fig. 4) semblables à nos montagnes terrestres. Du coup, il comprend que la Terre et la Lune sont sœurs.
Cette photo, prise de l'espace, nous le confirme. Éclairées par le Soleil (hors de la photo en bas à gauche), elles ont toutes deux des croissants.
La lumière vient de la Lune à la Terre en une seconde. Pour nous arriver de la galaxie d'Andromède, visible à l'œil nu (chap. III, fig. 1), elle met deux millions d'années.

est noir et non pas bleu. C'est l'air qui bleuit le ciel. Nous sommes maintenant bien au-delà de la couche d'air qui enveloppe notre planète.

La figure 2 m'émeut profondément. L'arc lumineux est provoqué par le passage du Soleil derrière la Terre. Le grand disque noir, c'est le côté nuit de notre planète. La lumière solaire, en traversant l'atmosphère, l'illumine par diffraction.

4. Sur un paysage lunaire, la Terre se lève. Comme les
surfaces sont différentes ! La Lune est grise. Elle ne
possède ni air ni eau. Le sol est aride, rien ne s'y
développe.
Dans la blancheur bleutée de la Terre, la matière est fertile.
Dans l'océan et dans l'atmosphère, d'innombrables
molécules s'associent en organismes biologiques. Toute la
biosphère est animée par la fièvre de la gestation.

Ce croissant, c'est le lieu de notre existence. C'est notre
habitat. L'évolution biologique des plantes et des animaux,
les hauts faits des civilisations anciennes et présentes, à
l'échelle astronomique, s'inscrivent dans ce volume
minuscule. Il y a peu d'espoir que nous en sortions jamais.
   Notre atmosphère entière a été « respirée » plusieurs fois
par les plantes et les animaux. Chaque molécule de cette

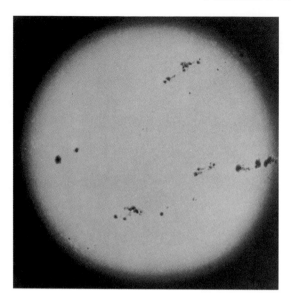

5. Notre Soleil appartient au monde des étoiles que nous
apercevons la nuit. Sa lumière nous parvient en huit minutes, celle
des étoiles nocturnes en plusieurs années. Comme la Terre et la
Lune, le Soleil est une boule. Mais une boule de gaz incandescent.
Sa surface jaune est à six mille degrés de température. Elle nous
envoie la lumière qui anime la vie sur notre planète. Le centre,
invisible, est à seize millions de degrés. Il bourdonne d'activité
nucléaire. Des protons s'associent en noyaux d'hélium. Ces
noyaux se combineront plus tard en carbone et oxygène. Dans
cette forge se soudent les atomes des civilisations futures, tout
comme les atomes de nos corps furent engendrés au sein d'étoiles
depuis longtemps défuntes.

Ci-contre :
6. Schéma du système solaire. En s'éloignant du Soleil, on
rencontre, tour à tour, Mercure, Vénus, la Terre (bleutée), Mars
(rouge), puis les grosses planètes : Jupiter, Saturne et ses anneaux,
Uranus, Neptune, enfin la minuscule Pluton. Les disques, en bas
du document, donnent une idée des volumes planétaires.

Les orbites sont, à peu de chose près, dans un même plan. Ce n'est pas un hasard. Cela nous rappelle comment le système solaire est né, il y a quatre milliards six cents millions d'années. Dans sa forme primitive, c'est une nébuleuse gazeuse. Un disque plat qui tourne sur lui-même. Le disque se fragmente et se condense. Au centre naît le Soleil, plus loin les planètes.

Plaçons-nous, par la pensée, sur le petit disque bleu de la Terre, le troisième à partir du Soleil. Vus de cet observatoire, le Soleil, la Lune et les planètes seront toujours situés dans une mince bande céleste, quelle que soit leur position sur leur orbite. C'est la bande du zodiaque (appelée aussi l'écliptique). Les signes astrologiques, Scorpion, Verseau, Vierge, etc., sont les constellations que le Soleil semble traverser dans sa course apparente autour de la Terre.

Sur son orbite, la Terre va plus vite que Jupiter. Vue de la Terre, à cause de cette différence de mouvement, Jupiter semblera, à certains moments, reculer sur son orbite. C'est le mouvement dit « rétrograde » des planètes qui a tellement intrigué le monde antique. Pour un observateur situé sur le Soleil, les planètes ne reculent jamais.

couche gazeuse a circulé à l'intérieur des vivants (feuilles ou poumons). Ces passages successifs en ont grandement altéré la composition chimique. Notre atmosphère d'aujourd'hui, composée d'azote et d'oxygène, est très différente de celle des autres planètes. Cette interaction avec les êtres vivants nous montre à quel point nous sommes solidaires de notre Terre. Aujourd'hui, nous la sentons fragile, menacée. À nous de veiller à ce qu'elle demeure habitable.

En élargissant notre champ de vision, nous voyons ensemble la Terre et la Lune (fig. 3). Ces astres familiers prennent, du coup, leurs dimensions astronomiques. Le Soleil, hors de la photo, en haut et à notre gauche, les éclaire parallèlement. Comme la Lune, notre Terre montre un croissant qui change avec la position de l'observateur.

Un mot sur l'échelle des distances. La Lune est environ à trois cent mille kilomètres de la Terre. La lumière met une

7-8. Sur les sommets enneigés des Alpes, une comète
luit doucement. Normalement situées au-delà des
orbites planétaires, les comètes, parfois, sont déviées
vers le Soleil. Progressivement volatilisées par la
chaleur solaire, leurs substances glacées se détachent
et forment les panaches qui les signalent à notre
attention. On pense aujourd'hui qu'elles sont nées
en même temps que le Soleil, à partir de
la même nébuleuse initiale.

seconde pour arriver de la Terre à la Lune. On dira que la Lune est à une seconde-lumière de la Terre. La lumière met huit minutes pour aller de la Terre au Soleil, et près de quatre ans pour aller à la première étoile. Plus tard, nous utiliserons comme unité de longueur l'année-lumière. Une année-lumière vaut dix mille milliards de kilomètres. C'est le trajet que parcourt la lumière en un an.

À l'échelle astronomique, la Lune est très proche de la Terre. Pourtant, elle est très différente. Dans la figure 4, le contraste est particulièrement spectaculaire. En orbite autour de la Lune, des cosmonautes ont eu le plaisir inattendu de voir un lever de Terre sur la Lune (comme on voit un lever de Lune sur la Terre). Vue de la Lune, la Terre est beaucoup plus grosse et beaucoup plus lumineuse que la Lune vue de la Terre. Comparez les surfaces... La Terre est bleue et blanche. Elle a des océans et des nuages. La Lune est grise et sèche. C'est un vaste désert de caillasses.

Le phénomène le plus remarquable, à la surface de la Lune, c'est la quantité de cratères de toutes dimensions qui criblent sa surface. Certains ont des centaines de kilomètres de diamètre. D'autres, quelques mètres seulement. Ces cratères ne sont pas des volcans. Ils ont été creusés par l'impact de pierres tombées du ciel. Des milliers de bolides rocheux de toutes les tailles circulent dans l'espace au voisinage des planètes. Occasionnellement, ils entrent en collision avec la Lune. Leur chute forme des cratères, petits ou grands, selon

9. Au mois d'août, quand la Lune est absente, la Voie lactée se dresse au-dessus de nos têtes comme une grande arche blanche. Elle parcourt la voûte céleste du nord au sud, en passant à proximité du zénith. Son tracé n'est pas très régulier. À l'œil nu, on distingue un enchevêtrement complexe de nébulosités blanches et sombres. C'est le disque de notre Galaxie que nous regardons ainsi par la tranche.
La Voie lactée est le lieu de la gestation stellaire. Sous l'aiguillon de la gravité, des masses nébulaires se condensent, se réchauffent et brillent. Les étoiles y prennent naissance.
Le trait blanc signale le passage d'un satellite artificiel.

10. Les milliards d'étoiles de notre Galaxie sont groupées sous
la forme d'un immense disque. Elles tournent autour du centre
galactique, comme les planètes autour du Soleil. Une révolution
complète dure environ deux cents millions d'années.
Notre astre est situé vers la périphérie du disque (petit point blanc
à gauche). La Voie lactée des ciels d'été est l'image de notre
Galaxie vue de l'intérieur, dans le plan du disque.

leur dimension. Il en tombe aussi sur la Terre, mais, à cause
des pluies et des vents, les cratères ici s'effacent
progressivement. Sur la Lune, rien de tel pour les éroder. Ils
s'accumulent sans altération depuis des milliards d'années.
   Continuons notre ascension. Nous sommes maintenant à
quelques heures-lumière de la Terre. De là-haut, voici notre
système solaire en entier. Au centre, le Soleil triomphant ;
c'est une boule de gaz incandescente (fig. 5). Son rayon est
de deux secondes-lumière, soit deux fois la distance entre la
Terre et la Lune. C'est une étoile jaune semblable à des
milliers d'autres étoiles du ciel, mais tellement plus
rapprochée qu'on en voit la surface et les taches qui la
marquent.
   Autour du Soleil circule une quantité imposante de corps
célestes de toutes dimensions (fig. 6). D'abord, les neuf
planètes. Par ordre de distance au Soleil, on rencontre
Mercure, Vénus, notre Terre avec sa Lune, Mars, Jupiter,

Saturne, Uranus, Neptune et Pluton. Les orbites des planètes sont à peu près toutes situées dans un même plan. L'ensemble forme un grand disque dont nos yeux balaient le plan en arpentant le zodiaque.

Plaçons-nous par la pensée sur la petite sphère terrestre de la figure 6, la troisième en s'éloignant du Soleil. De là, regardons le ciel et observons le mouvement des planètes. Du coup, nous comprenons pourquoi elles ne se baladent pas n'importe où sur la sphère étoilée. Pourquoi elles suivent la même route que le Soleil et la Lune. Pourquoi elles ne vont jamais rendre visite à la Grande Ourse. En même temps, nous saurons que Vénus, l'Étoile du Berger, n'illumine jamais la nuit profonde. Vue de chez nous, elle est toujours près du Soleil. Elle brille tour à tour à l'aube et au crépuscule.

Notre observatoire, la Terre, n'est pas immobile. Comme les autres planètes, elle fait le tour du Soleil. En tenant compte de ce mouvement, nous résoudrons facilement un problème qui est resté sans solution pendant des milliers d'années. Le problème du mouvement dit « rétrograde » des planètes Mars, Jupiter et Saturne. Pendant une courte fraction de leur périple autour du Soleil, ces planètes changent de direction. Elles *semblent* revenir sur leurs pas avant de reprendre leur marche normale. Pour un observateur placé *sur* le Soleil, ce mouvement rétrograde n'existerait pas.

Il n'y a pas que des planètes autour du Soleil. En plus des satellites plus ou moins nombreux dont elles sont entourées, il y a des milliers d'astéroïdes de toutes tailles. Les plus gros ont quelques kilomètres de diamètre. Quand leurs orbites croisent celles des planètes, des collisions peuvent se produire, qui creusent des cratères immenses.

Certaines planètes possèdent des anneaux. Les plus spectaculaires sont, bien sûr, ceux de Saturne. Mais ils ne sont plus uniques. Les observations récentes nous en ont révélé autour de Jupiter et d'Uranus. Les anneaux sont constitués d'une myriade de cailloux de dimensions variées (rochers, graviers, grains). Collectivement, ils circulent dans le plan équatorial.

Au-delà de l'orbite de la dernière planète, Pluton, nous entrons dans le domaine des comètes. Ce sont des corps relativement petits (la dimension d'une grosse montagne), des conglomérats de glace et de poussière. Il y en a probablement des millions. Leurs orbites s'étendent très loin dans l'espace, presque à mi-chemin entre nous et les étoiles voisines. Certaines comètes, peut-être, voyagent d'une étoile à une autre, comme des pèlerins du ciel en provenance des confins de la Galaxie. En temps normal, les comètes ne sont pas visibles, même avec les plus grands télescopes. À l'occasion de mouvements stellaires, elles sont détournées de leur orbite lointaine et projetées vers le Soleil. L'approche de notre astre fait fondre les glaces. La vaporisation engendre les longues queues qui signalent leur présence dans notre ciel nocturne (fig. 7 et 8).

Poursuivons notre ascension. Avec la distance, la lumière du Soleil a largement décru. Il se fond dans un tissu d'étoiles dont la trame, progressivement, se resserre. Bientôt se profilent les bras spiraux. Puis la Galaxie entière apparaît, dans toute sa splendeur. Un vaste disque lumineux constitué d'une centaine de milliards d'étoiles, maintenant confondu en une blancheur laiteuse où le Soleil et son système planétaire poursuivent leur périple, quelque part en périphérie, dans l'anonymat le plus complet (fig. 9 et 11).

Voir notre Galaxie

Sortirons-nous un jour de notre Galaxie pour la voir dans son ensemble ? Personne ne sait si les voyages extragalactiques se réaliseront, comme se réalisent aujourd'hui les excursions lunaires. Mais on n'a pas besoin d'aller si loin pour appréhender la réalité de notre Galaxie. On y arrive sans quitter notre planète. Choisissons une nuit sans Lune et sans nuage. De préférence en août, quand l'air est tiède et confortable. Du nord au sud, la Voie lactée nous surplombe comme une grande arche blanchâtre. Arpentons-la du regard, en repérant d'abord la constellation de

Cassiopée. C'est, vers le nord, un grand W qui s'inscrit en longueur dans le tissu nébulaire. Puis, progressant vers le zénith, voici maintenant le Cygne, appelé aussi la croix du Nord. L'axe de la croix coïncide assez précisément avec le plan de l'arche ; la tête au nord, les pieds vers le sud. La tête de la croix, c'est l'étoile Deneb qui, avec Véga et Altaïr, forme le « triangle de l'été ». L'arche galactique s'inscrit au centre du triangle, à mi-chemin entre Véga de la Lyre et Altaïr de l'Aigle. En redescendant vers le sud, le « chemin de Saint-Jacques-de-Compostelle » passe ensuite près du Sagittaire et du Scorpion. Là, nous le perdons au niveau de l'horizon. (Dans la constellation du Scorpion, saluons au

11. Voici une vue de notre galaxie, dans sa partie centrale, telle qu'elle a été observée en infrarouge par le satellite *COBE*. Elle se présente comme un disque plat, avec un bourrelet central constitué surtout de vieilles étoiles.

passage une étoile manifestement rouge : Antarès. Elle retiendra à nouveau notre attention. Elle nous donne une image de l'avenir du Soleil.)

Notre Galaxie, la Voie lactée, est un vaste disque rempli plus ou moins uniformément d'étoiles et de nébulosités. Notre Soleil est situé quelque part vers la périphérie du disque. Situons-nous par la pensée sur le point correspondant dans la figure 10. De là, regardons le ciel. D'abord dans le plan du disque. Les étoiles dans cette direction s'étalent sur une grande distance. En conséquence, elles paraissent particulièrement nombreuses. Les plus éloignées ne sont pas visibles individuellement. Elles se confondent en une pâle lueur. En braquant le premier son télescope vers la Voie lactée, Galilée a résolu cette lueur en une myriade d'étoiles individuelles. Fixons maintenant notre regard dans une direction perpendiculaire à celle de la Voie lactée, par exemple vers la Grande Ourse. Les étoiles sont beaucoup moins nombreuses. C'est que le disque galactique est mince (fig. 11). Notre champ visuel embrassera moins d'étoiles.

Le tracé de la Voie lactée n'est pas très régulier. À certains endroits, la bande blanche s'élargit. Il y a des échancrures profondes, des plages sombres qui pénètrent à l'intérieur du tissu lumineux. Quand la nuit est claire, on les distingue à l'œil nu. Une des plus imposantes s'étend du Cygne jusqu'au Scorpion. Elle s'insère presque au centre de la Voie lactée dans le sens de la longueur. Ces plages nous révèlent la présence de grandes nappes de matière opaque entre les étoiles. Ce sont les nuages interstellaires. C'est à la présence de myriades de poussières qu'ils doivent leur opacité.

Où est le centre de la Galaxie ? Fixons la Voie lactée dans la région du Scorpion, en direction du sud pendant l'été, pas très loin de l'étoile Antarès. C'est à peu près là qu'il se trouve. On ne peut pas le voir à l'œil nu. Il y a trop de nuages sombres. Pour percer ces écrans, il faut un radiotélescope. Cette région reste mystérieuse ; il s'y passe sans doute des événements qui nous échappent.

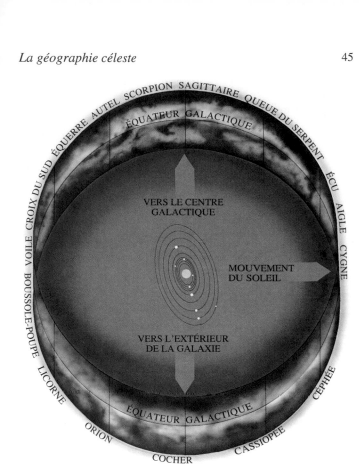

12. La Voie lactée au voisinage du Soleil. Le plan de la page est celui du disque de notre Galaxie. Le centre galactique se trouve très loin vers le haut de la page. Le Soleil et le système solaire sont dessinés dans leur orientation propre par rapport au plan galactique. Sur le cercle, on a indiqué les constellations et les étoiles brillantes qui marquent la Voie lactée dans les directions correspondantes.

Les nuits d'août, le centre de la Galaxie, au voisinage d'Antarès, est près de l'horizon sud, tandis que l'anticentre (la direction opposée au centre) est près de l'horizon nord, plus bas que Cassiopée.

Le mouvement du Soleil autour de la Galaxie nous entraîne dans la direction du Cygne.

On notera la ressemblance entre la forme du système solaire et celle de la Galaxie. Les deux sont des disques plats qui dessinent dans le ciel des bandes dans lesquelles leurs occupants sont confinés. Les planètes se situent et se déplacent dans le plan du zodiaque. Les étoiles se situent et se déplacent dans le plan de la Voie lactée. Les deux plans ne sont pas orientés de la même façon. Le schéma 12 illustre les orientations. Ici, le plan de la Galaxie est celui de la page. Le centre galactique est vers le haut. Sur le pourtour, on a indiqué les constellations correspondantes. Le petit disque est le plan du système solaire. Son axe est fortement incliné sur le plan galactique. Le Soleil, avec son cortège planétaire, est entraîné dans sa rotation galactique vers la constellation du Cygne.

Les bras spiraux de la Voie lactée

Quand notre regard parcourt le tracé blanchâtre de la Voie lactée, il voit, en même temps, plusieurs bras spiraux superposés. Les identifier séparément semble pour notre œil une tâche impossible. Nous sommes un peu dans la position d'un oiseau perché sur une branche qui chercherait à reconstituer la forme extérieure de son arbre. Pourtant, en repérant la position des étoiles bleues, en évaluant leur distance, les astrophysiciens sont arrivés à démêler l'enchevêtrement des bras spiraux de notre Galaxie (fig. 13).

Essayons de reconstituer l'image des bras galactiques dans notre ciel nocturne. Ce sont encore les soirées du mois d'août qui vont nous offrir les meilleures conditions. Mettons-nous à la position du Soleil sur la figure 13. Notre regard, en parcourant la Voie lactée, reste dans le plan de cette figure. Repérons d'abord Cassiopée, le grand W. Nous regardons alors dans la direction opposée à celle du centre de notre Galaxie (l'anticentre). Les étoiles de cette région appartiennent au bras de Persée, que nous apercevons maintenant dans sa partie intérieure. En août, la constellation de Persée se trouve près de l'horizon nord. Remontons progressivement la Voie lactée au-dessus de Cassiopée. Nous rencontrons la constellation de Céphée, et puis bientôt le Cygne, appelé aussi la croix du Nord. Et bien au-delà du bras de Persée, voici la fine pointe du bras du Cygne. Les deux bras sont maintenant superposés. On les remonte ensemble, croisant successivement l'Aigle à l'est et le Serpentaire à l'ouest. Poursuivons notre route vers le sud. Nous abordons le Sagittaire, où un troisième bras vient se superposer aux deux premiers. Nous voyons ici le bras du

13. Notre Galaxie est une spirale, comme tant d'autres dans le ciel. On arrive aujourd'hui à identifier ses bras spiraux. Autour du noyau central (cercle blanc), on a successivement le bras de Norma, le bras de Sagittaire-Carène, le bras de Persée, et, tout en haut, le bras du Cygne. Le point bleu dans la partie gauche du bras de Sagittaire-Carène (là où ce bras se divise en deux parties, pour former l'éperon d'Orion) marque la position actuelle du Soleil. Il se déplace lentement vers le bras de Persée.

Sagittaire dans sa partie la plus intérieure. Progressant vers le sud, nous croisons la pointe intérieure du bras de Norma. Notre regard se dirige alors au voisinage du centre de la Galaxie. Mais l'horizon sud nous empêche de poursuivre plus avant notre exploration.

Le ciel d'hiver nous offrira une autre région de la Voie lactée. Reprenons le schéma de la figure 13. Nous nous dirigeons maintenant dans la direction opposée. À partir de la pointe du bras de Persée, nous allons vers le bras du Sagittaire. Les constellations à suivre sont d'abord Cassiopée (comme point de référence), Persée et le Cocher. Puis nous passons entre les Gémeaux et Orion à proximité de Bételgeuse, pas loin de Sirius dans le Grand Chien. Ici se situe ce qu'on appelle le « bras local » : une espèce d'éperon entre le bras de Persée et celui du Sagittaire, à l'image de ces traits lumineux transversaux entre les bras de la galaxie de la figure 8, chapitre III. Notre Soleil serait aujourd'hui au voisinage de l'« éperon d'Orion ».

Au royaume des galaxies

Au milieu de l'été, à l'est, le carré de Pégase se dresse dans le ciel. En suivant vers le nord sa diagonale horizontale, on rejoint trois étoiles à peu près alignées en direction du zénith. Près de la troisième, en haut à droite, l'œil nu distingue une vague nébulosité luminescente. C'est la galaxie d'Andromède. Avec une bonne paire de jumelles, elle se dessine nettement. Une tache blanchâtre de forme elliptique. C'est une belle émotion que vous vivrez lorsque vous la contemplerez pour la première fois. Votre regard porte à deux millions d'années-lumière. En même temps, il plonge dans le passé : la lumière qui entre dans votre œil voyage depuis deux millions d'années. Vous voyez la galaxie telle qu'elle était au moment où les premiers hommes apparurent sur la Terre. De la galaxie d'Andromède telle qu'elle existe aujourd'hui nous ne pouvons rien dire. Il faudra attendre encore deux millions d'années.

Cette faible tache de lumière est constituée de plusieurs centaines de milliards d'étoiles semblables à notre Soleil. Mais elles sont si loin que la somme de tous leurs éclats les rend tout juste visibles à l'œil nu (pensez au Soleil en plein midi !).

1. *Pages suivantes*. La galaxie d'Andromède. Au centre, un noyau brillant constitué surtout d'étoiles jaunes, plutôt âgées. Vers l'extérieur, des bras spiraux bleutés : l'habitat des étoiles nouvelles. Le diamètre de la galaxie est d'environ cent mille années-lumière. Le disque tourne autour d'un axe central situé dans le noyau brillant. Une révolution complète prend environ deux cents millions d'années. Les deux points flous en haut à gauche et en bas à droite du disque sont des galaxies naines, satellites d'Andromède. Tous les points lumineux éparpillés sur l'image sont des étoiles de notre Galaxie, situées entre nous et Andromède.

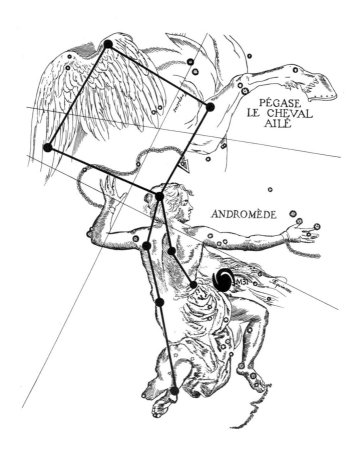

2. Les Anciens avaient peuplé le ciel de personnages
symboliques et d'animaux mythiques. Pégase et son cheval ailé
habitaient le grand carré d'étoiles dans le versant sud-est du ciel
en août-septembre. Prolongeant la diagonale du carré vers la Voie
lactée, on dirige son regard vers la grande nébuleuse
d'Andromède. On la distingue à l'œil nu. Je ne saurais trop vous
recommander de l'observer avec des jumelles. Elle luit doucement
à deux millions d'années-lumière.

Le vertige que procure l'observation d'Andromède ne vient pas seulement de sa distance. C'est qu'il s'agit d'un véritable « univers » en dehors de notre Galaxie.

L'histoire de la découverte des galaxies extérieures est à la fois intéressante et instructive. Elle vaut la peine d'être racontée. Les astronomes ont mis beaucoup de temps à s'intéresser aux nébulosités variées qui parsèment notre ciel. Pourtant, on les connaît depuis longtemps. Les nuages de Magellan, dans l'hémisphère Sud, et la nébuleuse d'Orion sont parfaitement visibles à l'œil nu. Les télescopes même les plus rudimentaires nous laissent voir bien d'autres nébuleuses. Dans les siècles passés, on les prenait souvent pour des comètes. C'est surtout pour éviter cette confusion qu'on a publié les premiers catalogues de nébuleuses, avec le dessin de leur forme et leurs coordonnées célestes. De là vient, en particulier, le catalogue de Messier publié en 1794. La galaxie d'Andromède, par exemple, s'appelle M 31. Elle est l'objet n° 31 de ce catalogue.

L'astronome allemand Hershell a été, semble-t-il, l'un des premiers à attirer l'attention de la communauté astronomique sur la nature des nébuleuses. De quoi s'agit-il? De masses gazeuses, comme les nuages de notre ciel, ou de groupements d'étoiles éloignées qu'on n'arrive pas à résoudre individuellement? Des chercheurs émettent alors une hypothèse fort audacieuse. Certaines de ces nébuleuses seraient situées *bien au-delà* de la Voie lactée. Elles constitueraient des systèmes d'étoiles analogues à notre Galaxie...

Au début du XIXe siècle, cette thèse rencontre une vive opposition. On se remet tout juste du choc de la révolution copernicienne. Notre univers, qu'on croyait limité à quelques planètes inscrites dans une voûte étoilée, vient de croître prodigieusement. On l'étend maintenant aux confins de la Voie lactée. Et l'on nous propose une extension plus extraordinaire encore. Notre Voie lactée ne serait qu'une galaxie parmi d'autres dans un univers infiniment plus vaste...

Les astrophysiciens, comme d'ailleurs tous les scientifiques, se divisent en deux groupes. Ceux qui aiment

3. Zoom sur Andromède. Nous arpentons la partie extérieure
du disque, là où les bras spiraux se dessinent. Les régions opaques
du disque sont des nappes de matière interstellaire. Elles se
condensent en étoiles sous l'effet de la gravité. L'amas dense
de points brillants, un peu à droite du centre de la photo, est un
groupe d'étoiles nouvellement issues d'un grand nuage sombre.

l'extraordinaire, l'imprévu, l'insolite, et ceux qui ne l'aiment pas. Imaginons un astronome qui effectue des observations de routine et voit apparaître dans son télescope une étoile nouvelle extrêmement brillante. S'il appartient au premier groupe, il abandonne immédiatement son programme pour se consacrer avec enthousiasme à l'étude de ce nouveau mystère. Sinon, il referme sa coupole en pestant contre les mauvaises conditions d'observation...

Pour plusieurs astronomes, l'idée des galaxies extérieures paraissait extravagante. Ils s'y sont opposés violemment.

En un sens, ils ont bien agi. La science se doit d'être conservatrice. Une idée nouvelle doit faire ses preuves. Elle doit s'imposer irrésistiblement. C'est le prix à payer pour assurer un progrès constant (même s'il est lent). En science, il est possible de contrôler les théories, indépendamment des sentiments des théoriciens. Ici, il suffisait de mesurer la distance des nébuleuses. Quand on a trouvé la méthode appropriée, quand on a montré qu'Andromède se trouve à plus d'un million d'années-lumière (la distance, depuis, a été portée à deux millions d'années-lumière), on a accepté la réalité des galaxies extérieures à la nôtre. Tout le monde s'est rallié à cette opinion.

Une visite chez Andromède

Nous allons rendre visite à la galaxie d'Andromède. La figure 1 en donne une vue d'ensemble. La tache blanche visible à la jumelle ne représente que la partie centrale, plus lumineuse, de la galaxie. L'ensemble du volume galactique s'étend sur une surface apparente environ douze fois plus grande que la pleine Lune ! Andromède, comme beaucoup d'autres galaxies, est un disque plat. Elle se présente à nous non pas de face mais fortement inclinée, d'où son profil allongé. Son diamètre est d'environ cent mille années-lumière. À peu près le même que celui de notre Voie lactée. Chacune des étoiles de la galaxie tourne autour d'un axe situé dans la partie centrale. Les étoiles les

4. Une galaxie satellite d'Andromède située légèrement
au-dessus de la grande galaxie dans la photo 2. Cette galaxie,
nommée NGC 205, offre l'image de la sénilité stellaire.
Toute la matière gazeuse a été transformée en étoiles.
Il n'y a plus de naissance stellaire et donc plus de bras spiraux.
Les étoiles sont toutes relativement vieilles. Bon nombre
d'entre elles sont déjà des cadavres stellaires.

plus intérieures effectuent une révolution complète en
quelques millions d'années. Les plus extérieures, en
quelques centaines de millions d'années. La même
situation prévaut pour notre Voie lactée. Notre Soleil
reviendra au point où il est aujourd'hui dans environ deux
cents millions d'années. Qui peuplera la Terre en ces
temps éloignés ?

Approchons-nous maintenant du noyau central. La

couleur jaunâtre indique la prédominance d'étoiles relativement âgées. Elle signale aussi l'absence de foyers de naissances stellaires. À part quelques rares traînées sombres, on n'y voit pas de matière interstellaire. Comme dans notre Galaxie, l'aspect nébulaire provient de la très grande distance. Elle confond les points lumineux en un tissu uniforme.

Dirigeons-nous ensuite vers la périphérie de la galaxie (fig. 3). On distingue nettement les bras spiraux. Ils émergent de la partie centrale pour se dérouler très loin dans l'espace. Ici, le dessin est assez serré. Pour d'autres galaxies la géométrie sera plus ouverte. Elle nous révèle la présence d'étoiles très jeunes, extrêmement brillantes. On les appelle les « super-géantes bleues ».

Ces étoiles apparaissent au sein de grandes masses nébulaires que leur lumière rend visibles. Les étoiles se forment à partir de cette matière interstellaire. Autrement dit, ces nuages sont le matériau qui va constituer la substance des étoiles. Là où ce matériau est abondant (dans les bras spiraux), les naissances stellaires sont nombreuses. D'où la couleur bleue. Là où ce matériau est rare (la partie centrale), il n'y a plus d'étoiles jeunes. D'où la couleur jaune.

On ne sait pas très bien comment naissent les galaxies. Vraisemblablement, au début de leur existence, elles n'abritent pas d'étoiles. Seulement de la matière dispersée dans l'espace. Au cours des ères, cette matière nébulaire se transforme en étoiles. À leur mort, ces étoiles rejettent dans l'espace une partie de leur masse. Le reste demeure emprisonné dans un objet résiduel, très dense. Selon le cas, on aura une naine blanche, une étoile à neutrons ou un trou noir. Avec le temps, il y a de moins en moins de gaz, de plus en plus d'étoiles. Au cœur d'Andromède, comme au cœur de notre Galaxie, le gaz est pratiquement épuisé. D'où l'absence de naissance stellaire. La conversion de matière en étoiles semble avoir été plus rapide au centre de la galaxie qu'à la périphérie. Pourquoi ? On l'ignore. Des mystères de la vie galactique nous connaissons peu de chose...

Le « métabolisme » des galaxies

Andromède possède deux galaxies satellites (fig. 4). Elles tournent autour d'Andromède comme la Lune autour de la Terre ou la Terre autour du Soleil. Contrairement à Andromède, elles n'ont pas de bras spiraux. Et pratiquement pas de matière nébulaire. On peut distinguer les étoiles qu'elles regroupent. À cause de leur forme, on les appelle « galaxies elliptiques ». Notre Voie lactée et Andromède sont des « galaxies spirales ». On croit que toutes les galaxies ont à peu près le même âge. Elles seraient nées en même temps, quelques centaines de millions d'années après l'explosion initiale. Aussitôt que l'univers a été assez froid, la gravité a provoqué la formation de ces immenses grumeaux dans la matière en expansion. Pourquoi les galaxies elliptiques ont-elles déjà épuisé leur matière nébulaire ? Pourquoi sont-elles tellement plus efficaces que les spirales à convertir le gaz en étoiles ? Qu'est-ce qui règle leur taux d'activité, leur « métabolisme » interne ? On n'en sait rien.

Il y a une troisième classe de galaxies : les irrégulières. Elles sont encore moins efficaces que les spirales. Les nuages de Magellan (fig. 5), à deux cent mille années-lumière de notre Galaxie, en sont des exemples. Plus de la moitié de la matière galactique est encore gazeuse. Dans notre Galaxie, ce chiffre est d'environ 10 %, alors que 90 %

5. Les deux nuages de Magellan (le grand et le petit) sont les galaxies les plus voisines de la nôtre. À cent soixante-dix mille années-lumière de nous, ils ne présentent ni la forme spirale de M 31 (fig. 1) ni la forme elliptique de NGC 205 (fig. 4). On les classe parmi les galaxies irrégulières. Elles contiennent beaucoup de matière gazeuse. L'activité de formation d'étoiles y est très intense. La tache rougeâtre située en haut du centre de l'image est la nébuleuse de la Dorade. Le taux de naissance d'étoiles y est plus élevé qu'en n'importe quelle région de notre Galaxie. Les flèches indiquent la position de la supernova qui a éclaté en février 1987.

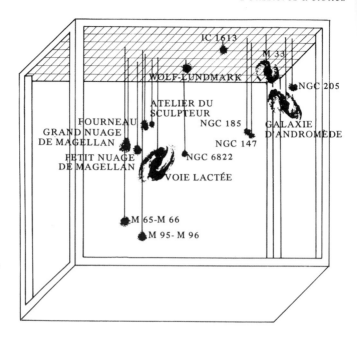

6. Sous l'effet de la gravité, les galaxies ont tendance à se grouper en amas. Notre Voie lactée appartient à un petit ensemble nommé « amas local ». Les nuages de Magellan (fig. 5), Andromède (fig. 1-3) et ses satellites (fig. 4) sont ici nos compagnons. Dans ce dessin, on a tenté de représenter, en respectant les formes et les orientations, la disposition géométrique des habitants de notre amas. Les lignes horizontales et verticales ont pour rôle d'illustrer la dimension en volume.

de la matière est déjà concentrée en étoiles. Dans les galaxies elliptiques, la fraction gazeuse est inférieure à 1%. Les nuages de Magellan sont extrêmement prolifiques en accouchements stellaires. Ils hébergent la nébuleuse de la Dorade, vraisemblablement la plus grande pouponnière d'étoiles qu'il nous soit donné d'observer dans le ciel.

En 1987, une étoile a explosé dans le Grand Nuage de Magellan, au voisinage de la Dorade. Nous y reviendrons au chapitre de la mort des étoiles. Nous connaissons maintenant assez bien les compositions chimiques des étoiles et des galaxies. L'élément prédominant est l'hydrogène, à 90 %. Il nous vient directement de l'explosion initiale. Puis il y a l'hélium, à presque 10 %. Lui aussi vient des origines. Il est produit par des réactions nucléaires aux toutes premières minutes de l'univers, dans la grande chaleur de la purée initiale. Tous les autres éléments sont beaucoup moins abondants. Ils ont été engendrés par les générations d'étoiles depuis la naissance des galaxies. Prenons par exemple l'oxygène. Son abondance est plus grande au centre des galaxies qu'à leur périphérie. Elle est moins élevée dans les galaxies irrégulières, comme les nuages de Magellan, que dans les spirales, comme la nôtre. Tout cela, on peut le comprendre. L'oxygène est un enfant des étoiles. Il sera plus copieux là où les étoiles ont proliféré, c'est-à-dire là où la matière interstellaire est maintenant raréfiée. Les étoiles ont pour rôle la formation des noyaux atomiques. Tous les atomes lourds qui existent aujourd'hui ont été engendrés par les générations d'étoiles qui se sont succédé dans l'espace. À leur mort, elles ont enrichi la matière interstellaire des produits de leur cuisson interne.

Notre voisinage galactique est illustré dans la figure 6. On y retrouve, à leur place, et dans leur orientation propre, les nuages de Magellan, la galaxie d'Andromède avec ses deux satellites ainsi qu'une autre galaxie nommée M 33 (c'est-à-dire le n° 33 du catalogue de l'astronome Messier). Par rapport à leurs dimensions, les galaxies ne sont pas tellement éloignées les unes des autres. L'ensemble des galaxies visibles dans cette figure constitue « l'amas local ». Comme les étoiles se groupent en galaxies, les galaxies se groupent en amas de galaxies et, on le verra bientôt, les amas se groupent en super-amas.

Quittons maintenant l'amas local pour visiter des galaxies plus éloignées. Voici d'abord NGC 2997 *, une magnifique

---

* Les lettres NGC *(New General Catalog)* désignent une compilation publiée vers 1890.

spirale, à plus de 50 millions d'années-lumière. Les bras spiraux sont les lieux où naissent les étoiles. Parmi ces étoiles nouvelles, les super-géantes bleues, extrêmement brillantes, sont de courte durée. C'est la séquence des super-géantes bleues, comme les perles d'un chapelet, qui dessine les bras spiraux (fig. 7).

Regardons attentivement les bras spiraux. À certains endroits ils sont doubles. À l'intérieur de la spirale brillante, une spirale sombre se profile, qui la flanque plus ou moins régulièrement. Il s'agit d'une succession de nébuleuses opaques. C'est le tout premier stade de la formation d'étoiles. Écrasée sous son propre poids, une nappe de matière interstellaire s'effondre et s'opacifie. La condensation provoque une libération de chaleur et un accroissement de température. Le nuage se réchauffe et devient lumineux.

Les étoiles et les nuages ne sont pas assignés à un bras donné. Ils voyagent continuellement d'un bras à un autre. Quand un nuage s'approche d'un bras, il se condense et s'assombrit. La succession des masses sombres forme la spirale noire. En se réchauffant, ces nuages s'allument et engendrent la spirale brillante. La double spirale des galaxies, visible à très grande distance, nous confirme que, partout dans l'univers, des étoiles continuent à naître. *C'est bien à l'échelle universelle que la matière s'organise.*

Chaque galaxie possède son individualité. Son noyau central est plus ou moins brillant, ses bras spiraux sont plus ou moins ouverts et plus ou moins dédoublés. Dans l'espace, elles ont chacune leur orientation. NGC 2997 (fig. 7) se présente à peu près de face. Andromède (fig. 1) et M 81 (fig. 8) sont à l'oblique. D'autres encore, comme NGC 4565 (fig. 9), sont vues carrément par la tranche. Les disques sont souvent très plats. Dans cette orientation on ne distingue plus les bras, projetés les uns sur les autres. La mince bande obscure, tout au long du disque, regroupe l'ensemble des nuages opaques qui bordent les bras spiraux. Vue de loin, notre propre Galaxie se présenterait à peu près comme NGC 4565. Notre blanche Voie lactée, échancrée de régions sombres, rendrait fidèlement l'image des taches brillantes et opaques du plan équatorial.

7. NGC 2997. Cette majestueuse galaxie brille dans le ciel
à cinquante millions d'années-lumière. Bleuis par la séquence
des étoiles super-géantes, les bras spiraux se distinguent
encore par les nébulosités rouges et par les traînées de
matière sombre qui les flanquent. Proches ou lointaines, les
galaxies abritent des nuages opaques et des étoiles naissantes.
Partout dans l'univers, des astres se forment à l'appel de la
gravité. La gestation est à l'échelle du cosmos.

L'importance du bourrelet central varie assez largement
d'une galaxie spirale à l'autre. La bande centrale de la
galaxie Centaurus A (fig. 10) laisse voir un enchevêtrement
spectaculaire de masses blanches et noires. On y devine une
gestation stellaire intense. Elle s'accompagne de puissantes
ondes radio.

Les galaxies se regroupent

Certaines galaxies sont très rapprochées les unes des autres. Elles exercent entre elles une puissante gravité. Il arrive que des ponts de matière s'établissent, par lesquels elles échangent étoiles et nébuleuses (fig. 11). On a découvert récemment, entre notre Voie lactée et les nuages de Magellan, une séquence nébulaire qui aurait la même origine.

Notre Galaxie, on l'a vu plus tôt, fait partie d'un petit amas (fig. 6). Cet amas appartient lui-même à un groupe plus important : le super-amas de la Vierge (fig. 12). La figure 14 illustre la répartition des quelque mille galaxies les plus brillantes de notre ciel. Elles ne sont pas réparties uniformément sur la voûte étoilée. Une forte concentration se situe près du centre de l'image, dans la direction de la constellation de la Vierge. Cette constellation nous apparaît au sud du zénith, les soirs de printemps. On repère facilement son étoile la plus brillante, Spica ou l'épi de la Vierge, en prolongeant vers le sud la queue de la casserole (la Grande Ourse). Un premier pas nous amène à l'étoile Arcturus, une des plus brillantes de notre ciel. Un second pas nous conduit à Spica. Il y a plus de galaxies voisines de la nôtre dans la direction de la constellation de la Vierge que dans n'importe quelle autre région du ciel (fig. 12). *Cette région est aux galaxies ce que la Voie lactée est aux étoiles.* Nous sommes situés à la périphérie de l'amas de la Vierge. Quand notre regard se dirige vers la Vierge, il couvre l'ensemble de nos consœurs galactiques, d'où le recensement plus élevé du nombre de galaxies.

On a identifié encore bien d'autres super-amas semblables à celui de la Vierge. Chacun est composé de

8. Les bras délicats de cette galaxie (M81), à neuf millions d'années-lumière, accentuent l'impression de rotation rapide du disque. Ils apparaissent, au départ, sous forme de traînées noires, qui s'accompagnent, à mesure que l'on s'éloigne du centre, de chapelets de perles lumineuses qu'elles bordent de l'intérieur.

9. Aplaties par leur propre rotation, les galaxies se présentent
souvent comme des disques très minces. Vus par la tranche,
les bras spiraux de la galaxie NGC 4565 sont ici projetés les uns
sur les autres et nous apparaissent sous la forme d'une bande noire
et blanche qui longe le plan équatorial. Le centre galactique est
entouré d'un bourrelet d'étoiles dépourvu de matières opaques.
Vue de l'extérieur, notre Galaxie aurait la même apparence.
Notre Soleil graviterait quelque part à la périphérie du disque.

10. À vingt millions d'années-lumière dans la direction
du Centaure, cette galaxie, appelée Centaurus A,
se signale à la fois par sa somptueuse beauté
et par la puissance de son rayonnement radio.
Le centre de cette galaxie est le siège de phénomènes
d'une intensité prodigieuse dont la nature
nous échappe encore largement.

milliers de galaxies elliptiques, spirales ou irrégulières. Il contient généralement une « super-galaxie », un objet beaucoup plus massif que les autres, situé près du centre de l'amas. On en parle souvent comme d'un « cannibale ». Il aurait grossi aux dépens de ses voisins. À l'intérieur des amas, les collisions entre galaxies ne sont pas rares. Quelquefois, les objets restent attachés. La masse augmente. Et aussi la possibilité d'attirer et de capturer. D'où la notion de « cannibalisme galactique ».

Ces super-galaxies possèdent des propriétés assez extraordinaires. Leur noyau semble être le siège de phénomènes extravagants qu'on est loin de comprendre. On note souvent la présence de puissants jets de matière en provenance du centre. Dans ces jets, des particules sont accélérées à des vitesses voisines de celles de la lumière. La super-galaxie de notre amas de la Vierge s'appelle M 87.

Le pavillon des monstres

Dans la faune extragalactique, les objets les plus étranges sont sans doute les quasars (fig. 12 *bis*). Le mot *quasar* est une abréviation de *quasi-star* : les « quasi-étoiles ». Au télescope optique, ils se présentent comme des points lumineux, comme des étoiles ordinaires. D'où leur nom. Mais, en fait, il s'agit de galaxies. Plus exactement, de noyaux de galaxies situées à plusieurs milliards d'années-lumière. De si loin, le disque galactique est invisible. Si le noyau réussit à impressionner les plaques photographiques, c'est qu'il est formidablement brillant. Certains quasars sont mille fois plus lumineux que notre Galaxie tout entière. Le noyau central d'où émerge cette énergie est

---

11. Jusqu'aux plus grandes échelles, la gravité est à l'œuvre. Comme la Terre et la Lune, les galaxies s'attirent. Sous un effet analogue à celui des marées océaniques, deux galaxies voisines déforment et entremêlent leurs bras spiraux.

extrêmement réduit. Beaucoup moins d'une année-lumière. Rien du tout à l'échelle astronomique. Par quel mécanisme physique une telle quantité d'énergie peut-elle provenir d'un volume aussi restreint ?

Plusieurs astrophysiciens pensent qu'il pourrait s'agir d'un trou noir super-massif. Une masse de matière équivalente à une centaine de millions de Soleils, enfermée dans un volume dont le rayon serait à peu près la distance Terre-Soleil. Ainsi concentrée, cette masse énorme engendre une force de gravité extraordinaire. Rien ne peut lui échapper. Pas même la lumière. Un tel objet entraîne irrésistiblement vers lui tout ce qui passe dans son voisinage. Comme dans un maelström géant, étoiles et nébuleuses s'approchent en tourbillonnant. L'accélération prodigieuse, provoquée par l'attraction, chauffe l'avalanche de matière jusqu'à l'incandescence. Elle s'allume et brille. Sa lumière, visible de très loin, est, en quelque sorte, le chant du cygne de ces atomes qui vont disparaître à jamais dans le gouffre du trou noir. Telle serait l'origine de l'énergie des quasars.

Cette théorie est-elle crédible ? Plus ou moins. Son véritable mérite, il faut bien l'avouer, c'est d'exister. Elle est la seule « sur le marché ». Mais il reste une autre possibilité. C'est qu'il s'agisse d'une force totalement nouvelle, inconnue des physiciens terrestres, inconnue à notre échelle d'êtres humains. Aujourd'hui, nous connaissons quatre forces de la Nature. Deux d'entre elles, la force nucléaire et la force faible, ont été découvertes il y a moins d'un siècle. Il serait téméraire de prétendre que nous avons épuisé la liste des forces de la Nature.

Et même si l'on arrive à identifier la source de l'énergie des quasars, il faudra encore expliquer une de leurs propriétés les plus extraordinaires : les jets. En des directions opposées, des flux lumineux se propagent sur des distances de millions d'années-lumière. Un des phénomènes les plus prodigieux de l'astronomie moderne. Par quels mécanismes ces jets sont-ils éjectés ? Pourquoi la matière ainsi projetée ne se diffuse-t-elle pas dans toutes les

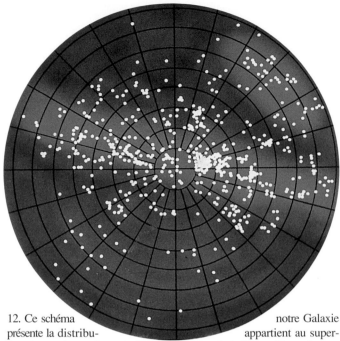

12. Ce schéma présente la distribution des quelque mille galaxies les plus brillantes de notre ciel. Le centre du dessin est situé dans la direction du « pôle Nord » de notre Galaxie, c'est-à-dire vers le « haut » dans l'orientation de la figure 11 du chapitre II. La Voie lactée s'enroulerait autour du dernier cercle. Ces galaxies ne sont manifestement pas reparties uniformément sur la voûte céleste. Elles se disposent selon une bande irrégulière, à peu près horizontale dans l'orientation de notre dessin, avec une concentration plus importante un peu à droite du centre (dans la constellation de la Vierge). Comme le Soleil appartient à la Voie lactée, notre Galaxie appartient au super-amas de la Vierge. Vu par la tranche, ce super-amas se présente à nous sous la forme d'une bande irrégulière, un peu comme la Voie lactée par rapport à notre Galaxie et le zodiaque par rapport à notre système solaire. Ces trois bandes signent notre triple appartenance au monde des planètes, des étoiles et des galaxies.

Double page suivante :
12 *bis.* « Le cœur d'une galaxie active. Cette galaxie abrite un quasar, vraisemblablement enfoui au centre de l'image. D'énormes quantités d'énergie s'en dégagent. » (Photo prise par le télescope spatial Hubble.)

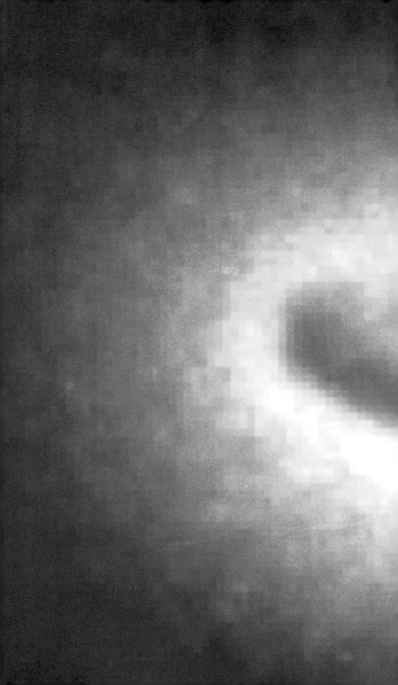

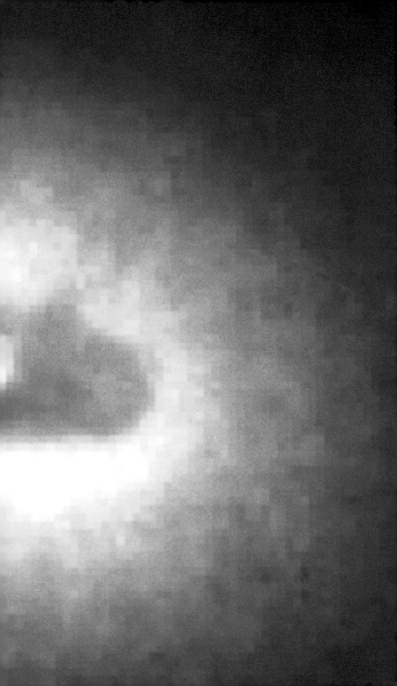

13. L'univers, à sa naissance, est formé d'une purée
homogène, extrêmement chaude, éblouissante de
lumière. Puis, au cours des ères, la température baisse,
le ciel s'obscurcit. Sous l'effet de la gravité, la purée
se fragmente et donne naissance aux galaxies.
C'est un des grands chapitres de l'organisation
de la matière. Les super-amas de galaxies émergent
de cette fragmentation un milliard d'années environ
après la naissance de l'univers.
Le super-amas de la Vierge regroupe plusieurs
milliers de galaxies réparties dans un volume
d'une cinquantaine de millions d'années-lumière
de diamètre. Quelques-unes sont visibles ici sous forme
de taches blanches assez floues. Notre Voie lactée
appartient à ce super-amas. Les images ponctuelles
ne sont pas des galaxies, mais des étoiles de l'avant-
scène, situées dans notre propre Galaxie.

directions ? Les jets existent à plusieurs dimensions dans le ciel : au niveau des cannibales, des quasars et, nous le verrons plus tard, des étoiles elles-mêmes.

La texture cosmique

Au-delà de notre Galaxie, au-delà de l'amas local, au-delà du super-amas, le paysage devient monotone. La figure 14 n'est pas une photo, mais un document obtenu par ordinateur. Il présente, dans leurs positions respectives, plus d'un million de galaxies. C'est la géographie, à très petite échelle, de l'univers qui nous entoure. Chacun de ces points lumineux est une galaxie comme la nôtre, avec ses centaines de milliards d'étoiles, ses nébuleuses, ses planètes, et peut-être ses civilisations. Documents vertigineux qui nous rendent comme aucun autre l'image de l'immensité de notre univers. Et ce n'est qu'une goutte d'eau dans le vaste océan. Nos observations suggèrent que l'univers est infini, que le nombre de galaxies est infini.

« Nommez un chiffre aussi grand que vous le voulez, disent les mathématiciens, l'infini, c'est encore plus grand. » Combien y a-t-il de galaxies ? Un milliard de milliards de milliards... de milliards ? Encore plus. Toujours plus. Aussi longtemps que durera notre voyage, aussi loin que nous allions dans l'espace, l'univers reste toujours semblable à lui-même. Dans le hublot de notre vaisseau spatial, les galaxies se succèdent, indéfiniment...

Devant ce spectacle, quel est votre état d'âme ? Malaise, angoisse, exaltation, indifférence ? Chacun vit à sa façon, avec sa sensibilité, les situations qui le dépassent.

Une expansion dans l'infini

À très petite échelle, la texture cosmique se résout en une multitude d'unités élémentaires : les galaxies. Comme des raisins enfouis dans la pâte d'un gigantesque pudding. La comparaison peut se poursuivre. Au four, le pudding va gonfler. Dans le volume de la pâte, les raisins vont s'éloigner les uns des autres, d'une façon uniforme. De même, nous l'observons au télescope, toutes les galaxies s'éloignent lentement les unes des autres. Ce mouvement a été observé pour la première fois il y a une soixantaine d'années. Il se confirme maintenant jusqu'à de très grandes distances.

Installez-vous par la pensée sur un raisin de notre pudding au four. Les raisins voisins s'éloignent lentement. Les plus lointains se déplacent à des vitesses beaucoup plus élevées. Il en va ainsi des galaxies. Certaines d'entre elles, situées aux plus grandes distances accessibles à nos télescopes (environ dix milliards d'années-lumière), filent à 90 % de la vitesse de la lumière (soit 270 000 kilomètres par seconde). Chaque raisin voit le même paysage. Tous ses confrères s'éloignent de lui. Ils s'éloignent d'autant plus vite qu'ils sont plus loin. Notre raisin pourrait se croire le centre du monde. Un instant de réflexion lui évitera cette désillusion. Comme il nous l'évite par rapport aux galaxies qui nous entourent.

Il est difficile de se représenter l'image d'un univers à la fois *infini* et en *expansion*. J'ai trouvé l'idée suivante : ramenons le problème à une seule dimension. Imaginons un mètre à mesurer, de longueur infinie (fig. 15). Il s'étend devant nous à gauche et à droite. Des deux côtés, il se perd à l'horizon. Pour les besoins de notre comparaison, le mètre sera en métal. On va le chauffer progressivement sur toute sa longueur. Il va se dilater. La distance entre les unités va s'accroître lentement et uniformément. Partout ! L'avantage de l'infini, c'est précisément qu'il n'y a pas de frontière, pas de mur pour nuire à la progression. De même, chaque paire de galaxies voit s'accroître la distance qui les sépare sans que jamais l'espace lui manque. L'espace *infini* est *infiniment dilatable.*

Voilà, certes, des notions assez étrangères à notre imagination journalière. Il faut s'y pencher un moment. On s'y fait. Cette image d'un univers en expansion nous

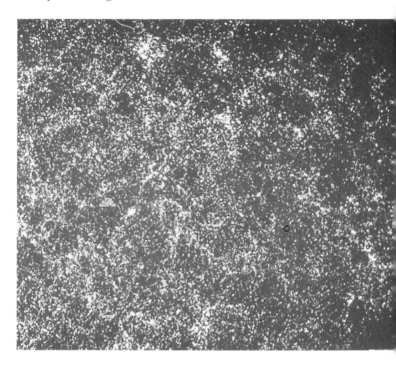

14. Voici une reconstitution, par ordinateur, de la disposition des galaxies dans les quelques milliards d'années-lumière d'espace qui nous entourent. Chacun des petits points blancs représente une galaxie comme la nôtre, avec ses milliards d'étoiles et (peut-être) ses planètes habitées... Ce document regroupe plus d'un million de galaxies. Dans le cadre de la cosmologie moderne, on envisage la possibilité que leur nombre soit infini...

permet de remonter dans le passé. Tournons à l'envers, toujours par la pensée, le film de l'univers, comme au cinéma, quand on voit les plongeurs reprendre leur place sur les plongeoirs. Nous aurons un univers en contraction. Les galaxies vont se rapprocher les unes des autres. Les

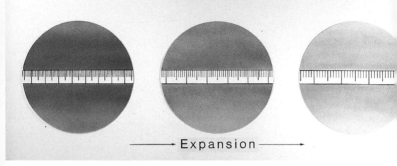

—→ Expansion ——→

15. Comment se représenter un univers à la fois infini et en expansion ? On peut utiliser la comparaison suivante. Imaginons un mètre de dimension infinie dont on observe une section au télescope. Imaginons qu'on le chauffe sur toute sa longueur. Le métal va se dilater. Les graduations vont s'éloigner les unes des autres. Partout, uniformément. Le comportement de l'univers est analogue, dans un espace à trois dimensions, où les galaxies figurent, par analogie, les graduations du mètre. Il y a une différence. Le mètre se dilate en s'échauffant. L'univers se dilate en se refroidissant. Pour notre analogie, cette différence est sans importance.

distances moyennes entre les galaxies sont aujourd'hui d'environ un million d'années-lumière. Il y a huit milliards d'années, elles étaient deux fois plus rapprochées. Plus tôt encore, quatre fois plus rapprochées, etc.

Le four cosmique s'allume

Cette contraction s'accompagne d'une grande quantité de chaleur. C'est une idée familière à ceux qui manipulent des moteurs à explosion. Quand un gaz se dilate, il se refroidit. Quand on le contracte, il se réchauffe. Plus on remonte dans le passé, plus l'univers est dense et chaud. L'augmentation de chaleur implique toujours un accroissement de lumière. Dans

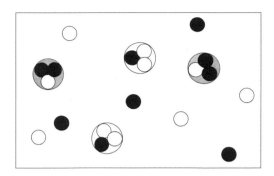

16. Aux premières microsecondes, les quarks se combinent trois par trois, pour constituer les protons et les neutrons. Ici, conventionnellement, deux quarks noirs avec un quark blanc forment un proton, et deux quarks blancs avec un quark noir forment un neutron. C'est la force nucléaire qui soude cette première structure de la matière.

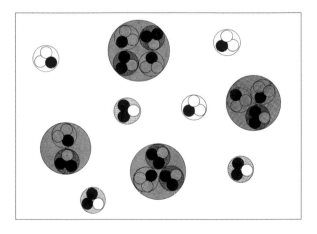

17. Aux premières minutes, une fraction de la population des protons et des neutrons se combinent pour former les premiers noyaux d'hydrogène lourd et d'hélium. C'est à nouveau la force nucléaire qui préside à cette seconde étape d'organisation matérielle.

la forge, le fer s'illumine quand on le chauffe. La première lueur est rouge sombre, visible seulement si les fenêtres sont masquées. À mesure que la température s'élève, le rouge devient plus clair, passe à l'orange, puis au jaune au moment où le métal fond. Si son soufflet lui permettait d'augmenter encore la température, le forgeron verrait le métal devenir bleu, puis violet. Notre univers, vu à rebours, retrace les coloris de l'arc-en-ciel.

De tout cela émerge l'image d'une « explosion initiale » appelée le *big bang*. Le début de notre univers, on se le représente aujourd'hui comme un grand éclair de lumière, accompagné de conditions extrêmes de température et de densité. On peut dater cet événement. Il s'est passé il y a environ quinze milliards d'années.

Et maintenant, une question d'une grande importance. L'univers à son départ était-il concentré en un point ? Il semble bien que non. Tout nous indique qu'il était déjà, comme aujourd'hui, infini en étendue. Cette lumière, cette chaleur, cette densité occupaient un espace sans limite. Difficile à comprendre ? Revenons à notre mètre métallique (fig. 15). Pour simuler la remontée dans le passé, il faut le contracter. Les unités vont se rapprocher. Indéfiniment. Le mètre va-t-il se replier en un point ? Évidemment non. Il était infini, il restera infini. Le nombre d'unités par centimètre (mesuré avec un mètre fixe) va croître partout de la même façon. Mais on ne verra jamais apparaître le bout du mètre. Il n'y en a pas...

Que le lecteur plus habitué à cette subtilité mathématique m'excuse de m'appesantir sur ce sujet. Je le sais par expérience, cette notion rencontre généralement beaucoup de résistance. De surcroît, plusieurs vulga-risateurs l'ont court-circuitée. Certains auteurs présentent le début de l'univers comme une masse en explosion qui se déploie dans l'espace à partir d'un point. Pour décrire le *big bang*, il faudrait une page blanche de dimension infinie*.

* Sauf dans le cas d'un univers fermé, apparemment peu compatible avec les données observationnelles actuelles (avril 1994).

Cette lumière éblouissante du début de l'univers n'a pas entièrement disparu. Tout comme la dilatation refroidit les gaz, elle « refroidit » aussi la lumière. Refroidir la lumière, c'est lui faire perdre son énergie. La lumière rouge possède moins d'énergie que la lumière bleue. Les ondes radio, celles que nous utilisons pour les communications, ont encore moins d'énergie. La lumière initiale, refroidie par l'expansion, existe aujourd'hui sous forme d'un rayonnement radio. C'est ce que l'on appelle le « rayonnement fossile ». Il est répandu uniformément dans tout l'univers, entre les étoiles et les galaxies. On le détecte sur la Terre avec des antennes de radar. Il témoigne pour nous de la réalité de l'explosion initiale.

Si l'univers a « débuté » il y a quinze milliards d'années, il est naturel de se demander ce qu'il y avait avant. Pour l'instant, nous n'avons pas de réponse. La difficulté vient des conditions extrêmes qui régnaient à l'origine. Nous ne connaissons pas les lois qui régissent la matière à des températures et des énergies aussi élevées. *C'est notre ignorance de la physique des premiers instants du monde qui limite notre exploration.* Comment savoir ce qui se passait « avant » le temps zéro si nous ne pouvons même pas décrire ce qui se passait au temps zéro ? Cette situation est peut-être transitoire. La physique progresse d'année en année. Mais, pour l'instant, notre excursion dans le passé se heurte ici au « mur de l'ignorance ».

Le chaos initial

Aux premiers moments de l'univers, il n'y a ni galaxies, ni étoiles, ni planètes, ni molécules, ni atomes, ni nucléons. La matière se présente alors comme une grande purée, uniforme, sans grumeau, sans condensation, sans structure d'aucune sorte. Cette purée est faite de particules élémentaires. On y rencontre des photons (les grains de lumière), des électrons (ceux du courant électrique) et des quarks.

Le premier chapitre de l'organisation de la matière se

passe là, un millionième de seconde après le début. Les quarks, trois par trois, se combinent pour donner naissance aux nucléons (fig. 16). C'est le coup d'envoi de la matière qui se complexifie. C'est la force nucléaire qui cimente ce premier édifice. Après quelques minutes, cette même force va amorcer le second niveau de l'organisation matérielle, celui de la jonction des nucléons en noyaux (fig. 17). Ainsi, le noyau d'hélium est formé de quatre nucléons. À la fin de cette courte période, l'univers aura engendré une dizaine de noyaux d'hélium pour chaque centaine de protons*. Cela n'ira pas plus loin. Aucun des noyaux lourds essentiels à la vie – carbone, azote, oxygène, etc. – ne sera créé à cet instant.

Pendant les heures, les années, les millions d'années qui vont suivre, l'univers va continuer à se refroidir. Le chapitre suivant se situe quelques centaines de millions d'années plus tard. Le principal acteur est la force de gravité. Cette même force qui fait tomber les pommes des arbres quand elles sont mûres. Le résultat, c'est la naissance des galaxies au sein de la purée homogène. Comment cela se passe-t-il ? On ne sait pas très bien. Ici et là, sous l'appel de leur propre poids, des régions entières se contractent sur elles-mêmes, laissant entre elles de vastes espaces vides. Vraiment vides ? Non. Il y a toujours le rayonnement initial en train de se fossiliser.

---

* Rappelons que le proton est le noyau de l'atome d'hydrogène.

La gravité engendre les étoiles

Les étoiles sont périssables

L'idée que les étoiles ont une « vie », qu'elles naissent et meurent, est relativement nouvelle pour l'humanité. Elle n'a pas beaucoup plus d'un siècle. Pour l'homme antique et jusqu'au début du XIXe siècle, les étoiles sont éternelles. Elles ne changent pas : l'image même de la constance dans un monde en perpétuel changement.

Les Grecs divisaient l'univers en deux parties : la Terre et le ciel. Sur la Terre tout se transforme. Les plantes, les animaux sont de courte durée. Le bois pourrit, le métal rouille, les montagnes s'érodent. Dans le ciel, c'est l'inverse. C'est le domaine de l'éternel. Le mouvement des étoiles est toujours le même. Il est régi par des lois immuables. Le mot « astronomie » veut dire : règles (*nomos*) des astres. Ces règles sont décrites par les mathématiques, qui sont le langage de la perfection. La Lune est la frontière entre ces deux mondes. On parle du domaine « cislunaire » (de ce côté-ci de la Lune) : la Terre toujours changeante. Et du domaine « translunaire » (au-delà de la Lune) : le ciel et ses pérennités intangibles.

La Lune est à la frontière parce qu'elle semble participer aux deux mondes. Son mouvement l'identifie aux astres éternels. Mais ses phases en font un être changeant. Le passage de la Lune croissante à la Lune décroissante est bien à l'image de la naissance, de la vie et de la mort.

Ce découpage du monde en deux parties prévaut jusqu'à la Renaissance. Il est remis en question par Galilée. Par des expériences avec des plans inclinés, ce physicien découvre les lois du mouvement des corps. Et il a l'idée que ces lois pourraient bien être les mêmes sur la Terre et dans le ciel.

D'ailleurs, Copernic vient de montrer que la Terre est une planète comme les autres, qu'elle tourne autour du Soleil. Pourquoi bénéficierait-elle de conditions exceptionnelles ?

La physique de Newton se place aussi dans ce cadre de pensée. La même force fait tomber les pommes, retient la Lune en orbite autour de la Terre et les planètes autour du Soleil. Il n'y a pas de différence fondamentale entre ce qui se passe sur la Terre et ce qui se passe dans le ciel. La matière (toute matière, pommes, planètes, étoiles) attire la matière. C'est la loi de la « gravitation universelle ».

Pourtant, à l'époque de Newton, les étoiles sont toujours « fixes ». La notion de vie stellaire émerge au XIXe siècle, en parallèle avec les progrès de la chimie et de la physique. Ce qui se passe au laboratoire, tout le monde en est maintenant convaincu, n'est pas différent de ce qui se passe dans les étoiles. Bientôt, cette conviction rencontre une confirmation éclatante. On découvre que les éléments chimiques possèdent une signature particulière. Quand on les volatilise, dans un four ou dans un arc électrique, ils émettent de la lumière. Cette lumière possède une coloration déterminée. Si on la décompose au moyen d'un prisme, on en obtient le spectre : un ensemble de raies colorées disposées dans l'ordre de l'arc-en-ciel. Le sodium, par exemple, émet une lumière jaune. Son spectre présente, côte à côte, deux raies de cette couleur. L'ensemble des raies émises par un élément est sa marque distinctive, ses « empreintes digitales ». Elles l'identifient à coup sûr.

Au début du siècle dernier, le physicien allemand Fraunhofer projette l'image du Soleil sur un prisme. Dans la lumière solaire, il identifie plusieurs des éléments chimiques familiers sur la Terre : l'hydrogène, le calcium, le fer, etc. La chimie de Lavoisier est valable aussi pour le Soleil !

---

1. NGC 6520. Inscrits dans un tissu serré d'étoiles brillantes, un nuage sombre (en bas) et un petit amas d'étoiles bleues (en haut) racontent deux chapitres de la genèse stellaire. Omniprésente, la gravité rassemble les atomes de l'espace en masses opaques qui obscurcissent l'éclat de la Voie lactée. Ces nuages se fragmentent, se condensent, se réchauffent, s'allument et luisent d'un éclat bleuté.

De quoi le Soleil se chauffe

En essayant d'améliorer le rendement des machines à vapeur, les physiciens de ce même XIXe siècle découvrent la « loi de conservation de l'énergie ». Il n'y a pas de source inépuisable. Un four finit par s'éteindre si on ne l'alimente pas. Si les étoiles obéissent aux lois de la physique terrestre, elles ne sont pas éternelles. Tôt ou tard, elles finiront par s'éteindre.

Mais quel peut être le carburant des étoiles ? De quelles substances tirent-elles l'énergie qui leur permet de briller aussi longtemps ? Supposons que le Soleil soit un gros bloc de charbon incandescent. Il dégage beaucoup de chaleur. Combien de temps cette énergie peut-elle alimenter le flux de lumière solaire ? Le calcul donne environ un million d'années. Est-ce suffisant ? « Non », disent les géologues à cause des vestiges d'animaux enfouis dans le sol depuis des centaines de millions d'années. L'existence de fougères ou de dinosaures à des périodes aussi reculées laisse entendre que le Soleil doit être plus vieux encore. L'hypothèse du bloc de charbon n'est pas acceptable. Il faut chercher autre chose.

L'autre source d'énergie connue à l'époque, c'est la gravité. Comment la gravité peut-elle être une source d'énergie ? Une chute d'eau peut actionner une turbine. En tombant, l'eau prend de la vitesse, qu'elle transmet au rotor. S'il n'y a pas de turbine, l'énergie acquise se transforme en chaleur. Au bas de la chute, l'eau est (un tout petit peu) plus chaude.

Le Soleil à sa naissance était vraisemblablement beaucoup plus gros qu'aujourd'hui. Au cours des âges, son rayon a décru. Comme l'eau de la chute, la matière solaire est « tombée » vers le centre du Soleil. Cette contraction a libéré de l'énergie. On peut ainsi assurer la luminosité solaire pendant quinze millions d'années. Mais on est encore loin des centaines de millions d'années exigées par Cuvier et ses collègues... D'où un conflit historique entre physiciens et paléontologues. La physique s'est mérité le titre de science « exacte » ; la géologie est, au mieux, une science « naturelle ». Les géologues se doivent, noblesse oblige, de réduire les âges excessifs qu'ils assignent à leurs fémurs et autres trilobites.

Peine perdue. Chaque année, des spécimens plus âgés encore font surface, et avec eux la certitude accrue du grand âge du Soleil. Faut-il invoquer l'existence d'une source d'énergie encore inconnue sur la Terre ?

La solution allait surgir d'une façon imprévue. Loin de ces conflits, dans la tranquillité de son laboratoire de l'École normale, Henri Becquerel constate un phénomène curieux : des granules d'un minerai assez rare, la pechblende, impressionnent les émulsions photographiques au travers de la boîte de carton qui les contient. Ces grains, manifestement, émettent une sorte de rayonnement invisible mais pourtant très puissant : il traverse sans difficulté l'épaisseur du carton. En 1898, Becquerel vient de découvrir la « radioactivité », la manifestation d'une force nouvelle, totalement inconnue à cette date. Une expérimentation rigoureuse en révèle les propriétés. Il s'agit, en fait, de deux forces distinctes appelées force « nucléaire » et force « faible ». La force nucléaire est celle qui cimente les nucléons dans les noyaux. C'est elle encore, dans une version plus puissante, qui cimente les quarks, trois par trois, à l'intérieur des nucléons. La force faible est celle qui permet aux neutrons de se transformer en protons (ou *vice versa*, quand les conditions s'y prêtent).

Beaucoup plus puissante que la force électromagnétique, la *force* nucléaire donne naissance à l'*énergie* nucléaire. Un gramme de carburant nucléaire peut libérer autant de chaleur qu'une tonne de pétrole ou de dynamite. Du coup, le problème de l'énergie solaire est résolu. Le Soleil carbure au nucléaire. Son carburant, c'est l'hydrogène. Il en possède suffisamment pour vivre à son rythme pendant dix milliards d'années. De quoi satisfaire les géologues les plus exigeants... Mais, à la fin de cette période, inéluctablement, il mourra. C'est le sort que la loi de conservation de l'énergie impose aux étoiles.

Pour certaines étoiles, l'échéance est brève. Les supergéantes bleues qui marquent les bras spiraux des galaxies

2. La constellation d'Orion marque les nuits d'hiver.
La photo 2 nous en montre la partie inférieure. On distingue
nettement les Trois Rois Mages et, un peu en dessous, la Nébuleuse
d'Orion. Dans le schéma 2 *bis,* on a ajouté deux grands nuages
opaques, détectés au radiotélescope, ainsi que la boucle de Barnard,
légèrement visible sur la photo. Le radiotélescope montre
le prolongement circulaire de cette boucle.
2 bis. Les croix (+) marquent les positions d'une portée d'étoiles
nées ensemble il y a environ huit millions d'années. Les cercles (o)

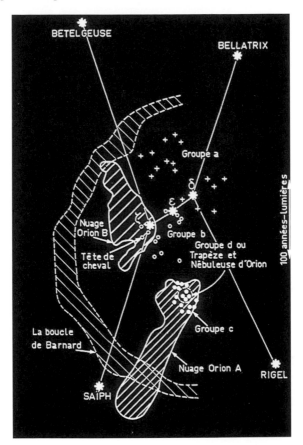

forment une seconde famille qui a maintenant cinq millions
d'années. L'âge de la famille des astérisques (*) est d'environ
un million d'années. Les quatre étoiles du Trapèze dans la nébuleuse
d'Orion en font partie. Aujourd'hui, des étoiles prennent naissance
dans deux foyers distincts : la Tête de Cheval et la nébuleuse
d'Orion. Les étoiles massives durent peu. Quand elles meurent,
elles se répandent dans l'espace en festons colorés (chap. VII, fig. 2).
Des astres nés et morts récemment dans la nébuleuse d'Orion
ont vraisemblablement allumé la boucle de Barnard.

sont cent mille fois plus brillantes que notre Soleil. Elles sont également plus massives, mais pas dans les mêmes proportions (de 20 à 50 fois). Elles consument leur réserve d'hydrogène en moins de dix millions d'années. Rigel, dans la constellation d'Orion, n'existait pas quand les singes sont apparus sur la Terre. Et le ciel des premiers hominiens était constellé d'étoiles bleues aujourd'hui disparues.

Les accouchements d'étoiles

Pour identifier et étudier les régions du ciel où naissent les étoiles, ces super-géantes bleues sont de précieuses indicatrices. Pendant leur brève existence, elles n'ont pas le temps de dériver hors des lieux de leur enfance. On les trouve toujours en groupe, au voisinage des nuages opaques. Ainsi, nous avons appris la parenté génétique des masses de matière interstellaire et des jeunes étoiles. Ces associations s'observent tout au long de notre Voie lactée. En particulier dans la grande plage sombre qui s'étend de la constellation du Cygne (presque au zénith des soirs d'été) jusqu'au Scorpion (près de l'horizon sud). Elles nous présentent, projetés les uns sur les autres, les bras spiraux de la galaxie, à l'image, par exemple, de la galaxie NGC 4565 (chap. III, fig. 9).

En bas de la figure 1, un exemple typique de nuage opaque. La densité d'étoiles dans l'ensemble de la photo en fait foi : nous sommes en pleine Voie lactée. Les quelques points brillants dans la plage sombre sont des étoiles situées entre nous et ces nuages dont les dimensions se mesurent en

---

Double page précédente :
3. Il y a quelques millions d'années, un nuage de matière obscure s'étalait sur cette région du ciel, à trois mille années-lumière du Soleil. Il s'est progressivement rétréci pour former la nébuleuse de la Quille (à gauche), laissant à sa place une pléiade d'étoiles issues de sa matière. Sous l'impact de la lumière ultraviolette de ces astres nouveaux, le gaz interstellaire s'illumine en rouge. À la pointe de la Quille, la génération stellaire se poursuit activement.

4. La Tête de Cheval. Le télescope nous révèle certains aspects
de la beauté du monde, ignorés des générations humaines
qui nous ont précédés. L'astronomie donne à connaître,
mais aussi à voir. Ici, la vision scientifique et la vision poétique
s'associent et se complètent.

dizaines d'années-lumière. Ils contiennent autant de matière
que mille Soleils. Et ils sont très froids. Environ moins deux
cents degrés Celsius (c'est-à-dire quelques dizaines de
degrés seulement au-dessus du zéro absolu).

Parlons densité. Dans l'espace interstellaire, il y a en
moyenne un atome par centimètre cube. Dans ces nuages, la
densité s'élève à des milliers, voire à des millions d'atomes
par centimètre cube. Cela semble énorme. Par rapport à notre
atmosphère pourtant (plus de mille milliards de milliards
d'atomes par centimètre cube), c'est un vide presque parfait.
Mais les nuages sont si grands que, même avec des densités
aussi faibles, ils bloquent le passage de la lumière.

Sous leur propre poids, ces nébuleuses tendent à s'effondrer sur elles-mêmes et, par là, à s'échauffer. Voilà la toute première étape de la transformation des nuages en étoiles. Curieusement, et pour des raisons que nous ne comprenons guère, ce phénomène ne débute pas partout à la fois dans la masse dispersée. Il commence en général à la périphérie. De là, il se propage à la manière d'un feu de forêt. La figure 3 illustre la situation. Une grande masse opaque, en forme de cône, couvre la partie gauche de la photographie. C'est à la pointe du cône, allumée comme un cigare, que l'action se passe. Sous l'effet de la contraction et de l'échauffement, les nébuleuses se fragmentent, se réchauffent et s'illuminent. Les étoiles naissent en groupes, comme les chats et les poissons. Le nombre d'étoiles dans une « portée » dépend de la nébuleuse mère. Quelques dizaines pour un petit nuage ; quelques centaines de milliers pour un nuage grand format.

Avant de devenir visibles, les étoiles émettent un rayonnement infrarouge qu'on détecte avec des télescopes appropriés. Avec l'accroissement de la température, elles virent ensuite au rouge. Les plus grosses dériveront progressivement vers l'orange, le jaune et le bleu. Les étoiles bleues émettent des rayons ultraviolets qui se propagent dans le nuage. La matière nébulaire absorbe ces rayonnements. Elle les réémet, sous forme de lumière rouge, par un mécanisme analogue à celui des tubes fluorescents. D'où la splendeur colorée des pouponnières d'étoiles. Le rouge ici dénote la présence d'hydrogène ainsi que celle d'azote. Dans certains cas, le vert clair signalera l'oxygène. Ces atomes, parsemés dans l'espace, réagissent selon leur mode propre à l'émission lumineuse de l'étoile bleue.

Une multitude de pouponnières d'étoiles présentent à notre regard des paysages semblables. Des étoiles, issues de ces masses opaques, illuminent maintenant d'autres nuages. Là, dans quelques millions d'années, des générations d'astres nouveaux apparaîtront. Ils éclaireront, à leur tour, le spectacle des accouchements stellaires.

Visite chez Orion

Au chapitre II, nous avons arpenté notre Voie lactée pour reconnaître la géométrie des bras spiraux de notre Galaxie. Dans ce périple, nous avons rencontré le « bras local » (l'éperon), au voisinage d'Orion. Notre système solaire appartient à ce bras. Grâce à cette situation privilégiée, nous sommes à proximité d'une pouponnière particulièrement active : celle de la constellation d'Orion. Allons maintenant lui rendre visite (fig. 2).

Les étoiles d'une constellation n'ont, en général, aucun lien de parenté. Certaines sont très loin, d'autres très près de nous. Ce n'est pas le cas pour Orion. Cette constellation regroupe plusieurs étoiles nées de la même génération. Elles occupent un volume bien délimité à environ mille cinq cents années-lumière.

Nous pouvons maintenant reconstituer l'histoire de cette famille d'étoiles. Il y a dix millions d'années, un vaste nuage occupait une surface grossièrement équivalente à celle de la constellation entière. La condensation stellaire s'est amorcée dans la région de Bellatrix. Elle s'est propagée au sud, vers la ceinture d'Orion. Du nuage initial il reste encore deux grands lambeaux sombres. L'un est marqué par la Tête de Cheval (fig. 4), l'autre par la grande nébuleuse d'Orion (fig. 5).

Quatre étoiles bleues, formant le « Trapèze », illuminent, par fluorescence, les matières gazeuses de cette magnifique nébuleuse. Ce sont les membres les plus spectaculaires d'un amas stellaire né il y a moins d'un million d'années. Au sein de tels amas, les étoiles sont très rapprochées. Alors qu'en général, dans le ciel, elles sont situées à des distances moyennes de trois ou quatre années-lumière, ici elles se trouvent à moins d'une année-lumière. De plus, on a pu montrer qu'elles s'éloignent toutes d'un centre commun.

Cela nous laisse naturellement supposer qu'auparavant elles étaient encore plus proches les unes des autres.

Cette hypothèse est confirmée par la présence d'un groupe plus jeune, situé à proximité de la grande nébuleuse.

5. La partie centrale de la nébuleuse d'Orion. La couleur verte au
centre vient de la fluorescence des atomes d'oxygène répandue
dans l'espace. Le rouge sur les contours provient de l'hydrogène
et de l'azote. Au centre, quatre étoiles bleues forment le Trapèze.

6. Les astronomies infrarouge et radio ne donnent pas d'images, mais des contours d'intensité. Les sources sont signalées comme les montagnes sur une carte topographique. Ces documents illustrent la présence d'un groupe d'étoiles embryonnaires à proximité du Trapèze (les quatre points en bas à gauche). Ces astres, invisibles à l'œil nu, se laissent voir en infrarouge. Avec ses compagnons, notre Soleil est né dans un groupe semblable, il y a quatre milliards six cents millions

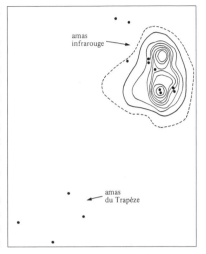

Ce groupe, enfoui dans un nuage opaque, nous est accessible au télescope infrarouge (fig. 6). Il s'agit véritablement d'embryons d'étoiles. On estime leur âge à moins de cent mille ans. Les distances qui les séparent se mesurent en mois-lumière.

Pourquoi les étoiles nouvelles s'éloignent-elles après leur naissance ? On ne le sait pas. Des observations récentes ont montré la présence de jets de matière émergeant de ces étoiles dans deux directions opposées. Ces jets rappellent, à une échelle beaucoup plus petite, un phénomène rencontré au niveau des quasars. Ici comme là, nous n'avons pas d'explications. Sans doute quelque chose d'important nous échappe. Faut-il remettre en question toute la théorie ? Je ne le crois pas. Mais il importe de rester vigilant, de ne pas « glisser sous les tapis » les observations qui cadrent mal avec nos vues traditionnelles.

À l'est de la constellation d'Orion, on note un arc lumineux qui circonscrit près de la moitié de la nébuleuse. C'est la « boucle de Barnard ». Boucle également visible au radiotélescope où, cette fois, le cercle est quasi

complet. Il s'agit vraisemblablement de résidus d'étoiles bleues, nées et mortes dans la constellation.

La nébuleuse du Trèfle (fig. 7) va nous révéler un autre aspect des pouponnières stellaires, un aspect qui prendra bientôt pour nous une signification particulière. À droite, une nébuleuse rouge entremêlée de filaments opaques à l'image de celle que nous avons observée jusqu'ici. À gauche, une nébuleuse bleue. La différence de couleur vient du fait qu'ici l'étoile illuminatrice, celle que l'on aperçoit au milieu de la lumière bleutée, n'est pas assez chaude pour exciter la fluorescence du gaz environnant. Elle révèle, en s'y reflétant, la présence de vastes quantités de *poussières.* Il s'agit de grains solides de très faibles dimensions. Environ un micron, soit un millième de millimètre. À peu près la taille des particules qui constituent la fumée de nos feux de bois. L'étoile bleue éclaire ces poussières, comme la flamme d'un feu éclaire en pleine nuit sa propre fumée.

Revenons à la figure 1 (NGC 6520). Elle nous présente, juxtaposées, la phase initiale et la phase finale du phénomène de naissance des étoiles. En bas, la masse sombre, prête à s'effondrer et à se fragmenter ; en haut, un groupe d'étoiles brillantes issues de la condensation de matière interstellaire sous l'effet de sa propre gravité.

Les Pléiades sont visibles à l'œil nu près du zénith des ciels d'hiver. Elles sont nées, ensemble, il y a environ trente millions d'années. Le télescope nous révèle une image assez complexe (fig. 8). N'accordons pas d'importance aux cercles et aux croix. Il s'agit d'effets photographiques sans réalité astronomique. Portons plutôt notre attention sur les traînées bleues constituées de filaments alignés. On peut les comparer aux cirrus de notre haute atmosphère, petits

Double page précédente :
7. Des étoiles nouvelles, profondément enfouies dans les nuages interstellaires, illuminent en rouge la nébuleuse du Trèfle (M 20), à gauche. À gauche, un astre bleu reflète sa lumière sur de vastes nappes de poussières répandues dans l'espace.

cristaux de glace emportés à la dérive par les vents d'altitude, qui se colorent vivement au coucher du soleil. Ici, comme dans la nébuleuse du Trèfle, les traînées bleues proviennent de poussières interstellaires bousculées par la pression de la lumière stellaire.

Les amas des figures 1 et 8 sont de modestes dimensions, à la mesure sans doute du petit nuage qui leur a donné naissance. Des nébuleuses plus massives peuvent engendrer d'un coup des centaines de milliers d'étoiles (fig. 9). Ces astres nés presque en même temps que notre Galaxie, il y a plus de douze milliards d'années, n'ont jamais pu s'échapper de leur amas natal. Ils sont restés captifs de la gravité que, tous ensemble, ils exercent sur chacun d'eux.

La naissance de notre Soleil

Notre Voie lactée et les galaxies voisines présentent un échantillon très varié d'objets célestes. On peut y retrouver des astres qui correspondent aux principales étapes de la vie d'une étoile. À l'aide de ceux-ci, essayons, pour clore ce chapitre, de reconstituer la séquence des spectacles qui ont accompagné la naissance du Soleil.

L'événement se passe il y a environ cinq milliards d'années au voisinage d'un bras spiral de notre Voie lactée. Pour visualiser le spectacle, reportons-nous à la galaxie NGC 2997 (chap. III, fig. 7). Au long des bras spiraux, des masses opaques sont alignées. L'une d'elles vient d'amorcer sa condensation.

Voyons-y de plus près. Pour cela, revenons à la nébuleuse d'Orion, décidément bien précieuse (fig. 5). Profondément enfoui dans un nuage opaque, un amas d'astres infrarouges se constitue. Parmi eux, une étoile bien ordinaire, notre Soleil.

L'amas n'est pas bien gros. Certainement pas aussi gros que l'amas géant M 13 (fig. 9). Dans un amas de cette taille, le Soleil, retenu par la gravité puissante de ses compagnons,

9. Un amas globulaire (M13). Des nébuleuses géantes ont accouché de millions d'étoiles jumelles. Ces astres, nés au début de la vie de notre Galaxie, sont les plus vieilles étoiles du ciel. Retenues par le champ de gravité de leur propre amas, elles en sont restées captives. Notre Soleil, né vraisemblablement dans un amas de faible taille, comme celui des Pléiades (fig. 8), s'en est rapidement échappé. Ses compagnons sont aujourd'hui dispersés dans la Voie lactée.

Ci-contre :
8. Dans une masse informe de matière nébulaire, la gravité a sculpté des luminaires bleutés : les Pléiades, visibles à l'œil nu, les soirs d'hiver. L'œuvre s'est achevée il y a environ trente millions d'années. Les étoiles sont brouillées par des nappes de poussières interstellaires. Ces petits solides sont appelés à jouer un grand rôle. De leur accumulation naîtront les planètes rocheuses comme notre Terre.

n'aurait jamais pu s'échapper. Il aurait passé sa vie près du lieu de sa naissance, parmi des milliers d'étoiles jumelles. Or, notre Soleil, aujourd'hui, est un astre solitaire.

Son amas natal est plutôt modeste, à l'image du Trapèze (fig. 5). Dans ce groupe d'astres naissants, le futur Soleil n'a rien de bien remarquable. À côté des super-géantes bleues qui l'entourent, son éclat jaune semble bien pâle. Pourtant, par rapport à elles, il possède un avantage précieux : la durée. Bientôt, les géantes s'éteindront. Le Soleil, lui, vivra assez longtemps pour illuminer l'éveil de la vie terrestre.

Revenons aux Pléiades (fig. 8). Les poussières, dispersées dans l'espace, nimbent les étoiles bleues. Sous l'effet combiné de la gravité et de la rotation, elles pourront s'accumuler en disque autour des astres nouveaux. C'est ainsi qu'on se représente aujourd'hui les premières étapes de la formation de notre système planétaire.

Portrait d'une étoile
qui nous est chère

On ne sait pas très bien comment se passent les premières années d'une étoile. On imagine une nébuleuse gazeuse tournant rapidement sur elle-même. L'aspect extérieur : un disque aplati par la rotation. Au centre de ce disque, une étoile se forme : le Soleil, dans le cas de notre système solaire. Plus loin, et jusqu'à la périphérie du disque, apparaissent les planètes.

Au début, les températures sont relativement basses. Même dans sa partie centrale, l'étoile n'est pas encore assez chaude pour que s'allument les réactions nucléaires qui, plus tard, la feront vivre. Pourtant, elle brille déjà. D'où lui vient son énergie ? De sa contraction.

Souvenez-vous des discussions du siècle dernier quant à la source de l'énergie solaire. Une des explications invoquées faisait intervenir la libération d'énergie gravitationnelle (la même énergie qui anime les turbines hydroélectriques). Cette idée se heurtait au problème de la durée : elle ne peut pas rendre compte de la luminosité solaire pendant cinq milliards d'années. On a donc abandonné cette hypothèse.

On pense aujourd'hui qu'il faut y revenir. C'est la gravité qui a animé la période juvénile du Soleil. Cette période a vu augmenter la température centrale jusqu'aux millions de degrés requis pour la mise en route du réacteur thermonucléaire. C'est la contraction gravitationnelle qui a provoqué l'échauffement du cœur solaire.

Dans ce brasier agité, les particules s'entrechoquent. Occasionnellement, des protons se rencontrent. Sous l'effet combiné de la force nucléaire et de la force faible, ils s'associent. Cette association libère de l'énergie, de l'énergie nucléaire maintenant. Après plusieurs étapes, quatre protons se combinent. Ils forment un noyau d'hélium. On parle de *fusion* de l'hydrogène en hélium.

Les mêmes phénomènes se déroulent dans une bombe à hydrogène. La bombe H ne se déclenche pas à froid. On fait éclater d'abord une bombe A (à l'uranium ou au plutonium) pour atteindre la température requise. Dans une bombe, l'énergie est émise d'un seul coup, d'où l'effet dévastateur. On cherche depuis longtemps à contrôler le débit de la fusion d'hydrogène, pour obtenir la « fusion contrôlée ». Il faut un contenant qui résiste à des températures de plusieurs millions de degrés. Aucun solide ne fait l'affaire. On cherche du côté des « bouteilles magnétiques ». On progresse, mais lentement. Personne ne sait quand cette

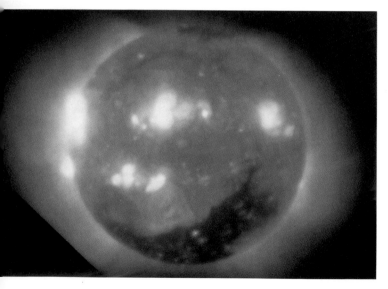

1. Un œil sensible au rayonnement X verrait un Soleil bien différent de celui auquel nous sommes habitués. Ici, c'est la haute atmosphère solaire qui émet la lumière. Les régions blanches dans la zone équatoriale sont portées à plus de deux millions de degrés.

fusion contrôlée sera réalisée. Personne ne sait même si on y arrivera un jour... Comment le Soleil a-t-il résolu le problème ? Par sa très grande masse. C'est le poids des couches supérieures qui stabilise la formidable pression dégagée par le brasier central. De plus, ces couches supérieures contiennent et bloquent la radioactivité engendrée par les réactions nucléaires (fig. 2).

Ouvrons ici une parenthèse sur l'utilisation terrestre de l'énergie nucléaire. Le principal argument en sa faveur, c'est sa très grande efficacité. L'énergie nucléaire est un million de fois plus concentrée que l'énergie chimique traditionnelle. Contre elle, il y a deux arguments importants : les risques d'accidents (Tchernobyl...) et la production de déchets radioactifs. Ils nous encombrent. Nous les léguons à nos enfants pour des générations à venir. À nous le confort, à eux les problèmes... Mais le plus grave, c'est l'utilisation de cette matière radioactive pour construire des armes. La fabrication des bombes atomiques exige l'enrichissement de l'uranium ou la production de plutonium. Ces deux opérations s'effectuent normalement dans le cadre de l'industrie nucléaire pacifique. Le réacteur utile et la bombe meurtrière *sont intimement liés.*

Seconde parenthèse sur la bombe atomique. Einstein, selon certains auteurs, en serait le père, à cause de la relation $E = Mc^2$. À ce titre Einstein serait aussi le père du feu ! Dans les deux cas il y a transformation de masse en énergie, dans les deux cas cette transformation peut être décrite par l'équation d'Einstein. Pourtant, nos lointains ancêtres n'ont pas attendu Einstein pour maîtriser le feu. Et Becquerel n'a pas eu besoin de la relativité pour découvrir la radioactivité.

Revenons à notre jeune Soleil. Il a maintenant une quinzaine de millions d'années. La lente contraction de sa masse gazeuse sous son propre poids a fait monter la température jusqu'à seize millions de degrés. Les réactions de fusion thermonucléaire ont amorcé la transformation de l'hydrogène en hélium. L'énergie nucléaire prend la relève. C'est elle qui, pour des milliards d'années, va assurer la luminosité du Soleil.

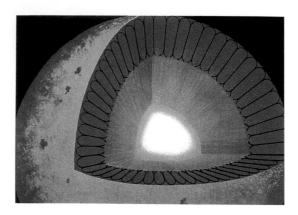

2. Une plongée dans la matière incandescente du Soleil nous ferait d'abord traverser une zone en ébullition furieuse : la couche convective rouge dans le schéma. Plus bas, la matière se calme, mais la température monte progressivement. Dans le brasier ardent de la partie centrale, il fait seize millions de degrés. C'est là qu'ont lieu les réactions thermonucléaires. La transformation de l'hydrogène en hélium n'émet pas que de la lumière. Une autre particule, appelée « neutrino », en émerge également. On a détecté sur la Terre des flux de neutrinos en provenance du Soleil. L'existence de ces flux nous confirme l'origine nucléaire de l'énergie solaire.

Grâce à cette transformation, le Soleil n'a plus « besoin » de se contracter. Son volume se stabilise. Son rayon – 700 000 kilomètres – va rester le même pendant longtemps. Le Soleil devient ce que les astronomes appellent une étoile de la « séquence principale ». C'est une grande famille, qui regroupe près de 90 % de tous les astres de notre ciel. À cette même famille appartiennent aussi Véga, Sirius, Procyon et l'Épi de la Vierge. Toutes ces étoiles, comme le Soleil, vivent de la production d'hélium.

Une plongée dans le brasier solaire

Jaune et triomphante le jour, rouge et pathétique au crépuscule, l'image du Soleil fait partie de nos réalités familières. Mais, à l'œil de l'astronome, elle se révèle bien différente. Chaque longueur d'onde nous en présente un visage nouveau. Elle nous dit, à sa façon, que la surface solaire est le siège d'une activité prodigieuse, animée par le brasier central.

Voyons cela de près (fig. 2). Plongeons par la pensée dans ce magma incandescent. Les couches superficielles sont en ébullition permanente. Cette agitation donne naissance à des phénomènes spectaculaires : les protubérances et les sursauts. Nous les illustrerons dans les pages qui suivent.

Progressivement, la température et la pression s'élèvent. Vers 100 000 kilomètres de profondeur, la matière se calme. Les couches gazeuses se font plus tranquilles. Il fait près d'un million de degrés. Continuons notre descente vers l'enfer. Nous voici à proximité du centre, près du brasier thermonucléaire. L'agitation reprend à vive allure. La température est de seize millions de degrés. La densité est deux cents fois plus élevée que celle de l'eau. La composition chimique n'est plus la même. L'hélium, issu de cette industrie nucléaire, s'accumule, tout comme les produits radioactifs qu'elle engendre. Des substances très dangereuses, le tritium, le béryllium-7, circulent librement. Mais 700 000 kilomètres de matière les isolent de l'espace.

Le lecteur se demande peut-être comment on arrive à décrire l'intérieur du Soleil, un lieu qui semble devoir échapper à jamais à nos regards. C'est là une manifestation de la puissance et de l'efficacité de la pensée humaine. D'abord, il y a les observations astronomiques au télescope. On mesure le rayon du Soleil, sa masse et, par l'analyse de sa lumière, la température à sa surface (environ 6 000 °C). Puis, sur les traces de Galilée, on suppose que les lois de la physique, découvertes au laboratoire, régissent aussi la matière solaire. Combinant observations et théories, on estime le profil de la température, de la pression et de la densité à l'intérieur du Soleil. Bien sûr, il reste un doute. Connaissons-nous vraiment bien les lois de la physique ? Pouvons-nous, sans risque, les extrapoler jusqu'aux conditions physiques du brasier solaire ?

Heureusement, le cœur du Soleil n'est pas entièrement inaccessible à nos observations. Si la matière solaire est opaque aux photons lumineux, elle laisse passer librement une particule plus exotique appelée le *neutrino*. Cette particule est presque insensible à la présence de la matière. Elle ne ressent pas la force électromagnétique, pas plus d'ailleurs que la force nucléaire. C'est à la force faible seule qu'elle répond. La « faiblesse » de cette force lui permet de traverser, sans en être affectée, d'immenses quantités de matière. Continuellement, des neutrinos nous arrivent de l'espace. Mais, à la différence de la lumière solaire, il nous en parvient autant le jour que la nuit. C'est que la Terre n'est pas pour eux un obstacle sérieux. Le Soleil des neutrinos brille toujours, même quand il est couché !

Les réactions nucléaires du brasier solaire émettent des neutrinos. Ces particules traversent sans encombre les couches extérieures du Soleil. Puis elles se propagent dans l'espace à la vitesse de la lumière. Naturellement, des objets aussi évanescents ne sont pas faciles à détecter. Pour en attraper quelques-uns au passage, il faut un appareillage aux proportions monstrueuses. Plusieurs expériences ont été réalisées avec succès. Les détecteurs sont d'immenses réservoirs de chlore, de gallium ou d'eau. En les traversant, les neutrinos induisent des réactions, par lesquelles ils manifestent leur existence. Pour éviter la confusion avec d'autres particules, ces réservoirs sont enfouis profondément sous terre. Seuls les neutrinos peuvent pénétrer jusque-là.

On a ainsi détecté les neutrinos solaires, confirmant l'origine nucléaire de l'énergie stellaire. Mais il y a un problème. Dans chaque expérience, le flux observé est inférieur au flux calculé par les théoriciens. Pourquoi ? On ne le sait pas très bien. Est-ce notre estimation des propriétés du cœur solaire qui est fautive ? Mais peut-être sont-ce les propriétés des neutrinos eux-mêmes qui sont en cause ? Il en existe trois sortes. Il n'est pas impossible qu'une sorte de neutrino puisse se transformer en une autre sorte. Et c'est peut-être là la clé du problème.

Avouons pourtant qu'il s'agit de pures spéculations. Nous n'avons aucune certitude quant à la cause réelle du déficit. Soyons modestes et prudents. Notre connaissance de la physique n'est pas aussi avancée que nous avons tendance à le croire. Mais il n'y a pas lieu d'en être affecté. C'est déjà beaucoup que d'avoir *prévu* l'existence du flux de neutrinos solaires...

Taches et sursauts

Remontons maintenant à la surface du Soleil. Il s'y passe des événements d'une grande violence. D'où vient l'énergie qui les anime ? Sans doute du brasier nucléaire au centre du Soleil. Mais c'est tout ce que nous pouvons dire. Ici, c'est plus que de la modestie qu'il convient d'afficher. Le moteur profond de ces phénomènes superficiels nous est à peu près complètement inconnu.

Même sans instrument astronomique, on peut voir, de la Terre, les taches solaires. À certaines périodes, la région équatoriale est marquée par une série de points, plus ou moins réguliers, bien visibles à l'œil nu (chap. II, fig. 5). Les astronomes chinois les observaient il y a plus de deux mille ans. Pourtant, en Occident, c'est Galilée, vers 1600, qui le premier les a décrits. Personne, semble-t-il, n'y avait auparavant porté attention. Pourquoi ? D'un phénomène extraordinaire on dit souvent : « Je le croirai quand je le verrai. » On pourrait, avec autant de justesse, dire parfois l'inverse : « Je le verrai quand je le croirai. » Au dire des psychologues, parmi les perceptions sensorielles qui nous viennent de l'extérieur, nous pratiquons une importante sélection. Nous rejetons celles qui ne cadrent avec rien de connu. Celles qui sont en conflit avec nos idées habituelles. L'image d'un Soleil parfait et immaculé, largement répandue dans les cultures anciennes, a-t-elle joué ici un rôle ?

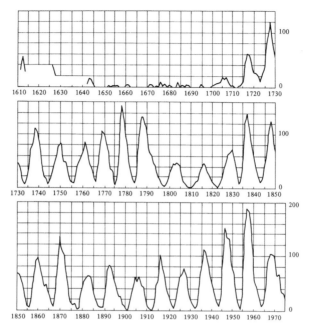

3. La surface du Soleil est quelquefois marquée de taches. Elles apparaissent, durent quelques semaines, puis disparaissent. Leur nombre total, à un instant donné, varie selon un cycle de onze ans. Ce dessin résume les données d'observation depuis 1610. On voit, par exemple, qu'en 1958 on avait plus de 190 taches simultanées, alors qu'en 1964 il n'y en avait pas plus de 10. On note également une période de grande inactivité solaire entre 1650 et 1700. Pourquoi ? Mystère.

Ci-contre :
4. Les taches solaires sont d'immenses régions sombres qui apparaissent à la surface du Soleil. De leur sein émergent de puissants champs magnétiques qui contrôlent le comportement de la marmite solaire dans leur voisinage. Les lignes de forces magnétiques sont matérialisées par les courants de plasmas électrisés. Le nombre de taches croît et décroît au long d'un cycle de onze ans. Ce cycle influence la haute atmosphère terrestre. Il gouverne la fréquence des aurores boréales.

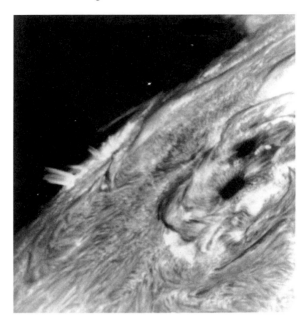

Les taches solaires suivent un cycle de onze ans (fig. 3). Cela signifie que le nombre des taches varie au cours des années. En 1964, il n'y en avait pratiquement pas. En 1965 et 1966, le nombre croît pour passer par un maximum vers 1968-1969 et redescendre progressivement en 1976-1977. Nouvelle croissance en 1978-1979. Nouveau maximum vers 1980, puis vers 1990. Nous sommes aujourd'hui (1994) dans une phase décroissante. Pourquoi le cycle dure-t-il onze ans ? On n'en sait rien.

Les taches sont, en réalité, des régions plus froides de la surface solaire. La différence de température les fait apparaître plus sombres. Leurs dimensions se mesurent en milliers de kilomètres. Certaines pourraient engouffrer la Terre entière. Une boussole apportée au voisinage d'une tache serait puissamment affectée. Ces lieux sont le siège d'intenses champs magnétiques. Ces champs gouvernent le

comportement de la matière solaire dans leur voisinage.
Par moments, la région entière s'embrase (fig. 4). Un
éclair jaillit. Des jets de matière s'élèvent dans l'espace
pour retomber en cascades gracieuses. Quand ils ont lieu à
la périphérie du disque visible, ces événements sont pour
nous particulièrement spectaculaires. Pour les observer, il
faut bloquer l'éblouissante lumière de la surface solaire.
C'est ce qui se passe au moment des éclipses. Le disque de
la Lune vient alors se superposer plus ou moins
exactement au disque du Soleil et met en évidence les
phénomènes périphériques. Un disque noir, introduit dans
un télescope, peut se substituer à la Lune et produire le
même effet. C'est le « coronographe ». Il nous révèle
l'existence de la « couronne » solaire : une région chaude,
intensément colorée, qui enveloppe la surface
normalement visible de notre astre (fig. 5).

Un vent en provenance du Soleil

Le Soleil, comme toutes les étoiles, perd de sa matière.
Les couches superficielles « s'évaporent », en quelque sorte.
Un vent puissant émerge de la couronne solaire et se
propage dans le système planétaire à plusieurs centaines de
kilomètres par seconde. La Terre, comme les autres
planètes, circule dans ce courant de matière solaire. Il y a
même des « tempêtes ». Elles accompagnent souvent les
sursauts d'activité. Le vent alors double ou triple sa vitesse.
Les gracieuses langues blanches qui émergent
symétriquement des deux côtés du disque (fig. 5) sont en

5. La couronne solaire devient visible quand on cache
la surface trop éblouissante de notre étoile. Ici, la Lune
passe devant le Soleil. En longs jets blanchâtres,
des torrents de matière ionisée émergent du Soleil et
donnent naissance au « vent solaire ». Cette évacuation,
lente aujourd'hui, s'accroîtra prodigieusement quand
notre astre atteindra ses vieux jours.

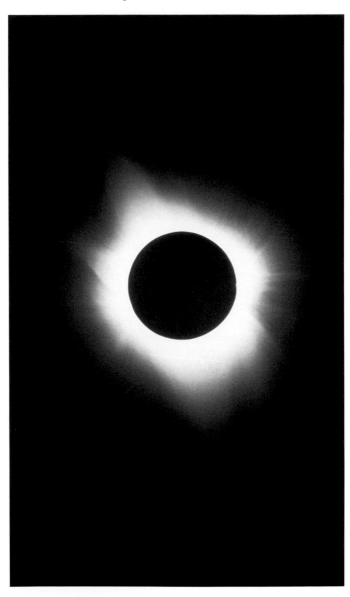

quelque sorte les sources du vent solaire. Soumises à ses bourrasques, les comètes (fig. 6) s'ornent d'un long panache qui se torsade et s'effiloche, un peu comme la fumée des cheminées d'usine. L'étude de ces mouvements nous a révélé l'allure du vent solaire bien avant sa détection par les sondes spatiales.

Ce vent, heureusement pour notre bien-être, ne parvient pas à la surface de la Terre. Le champ magnétique de la planète fait office de parapluie. Il dévie et repousse au loin ce flux de particules rapides. La Lune, à l'inverse, est pratiquement dénuée de champ magnétique. Les bourrasques qu'elle reçoit de plein front effritent continuellement les pierres du sol lunaire. C'est l'origine de cette couche de poussière où les pas des cosmonautes resteront imprimés (fig. 7).

Tout rapide qu'il soit, le vent solaire n'est pas en mesure de porter un drapeau. Lors des expériences Apollo, les cosmonautes ont dû apporter une plaque rigide aux couleurs américaines. Après le salut rituel, ils ont déroulé et fixé au sol une feuille d'aluminium. Il s'agissait de piéger les particules du vent solaire. Pour la première fois, des atomes en provenance directe de notre Soleil étaient ainsi capturés, rapportés sur Terre et étudiés en laboratoire. De cette expérience nous est venue une riche moisson de renseignements astrophysiques. Non seulement au sujet du Soleil et du système solaire, mais aussi au sujet du comportement de l'univers dans son ensemble. Par exemple, on a pu mesurer l'abondance relative des deux variétés d'hélium dans la matière solaire. Or, ces atomes ont été engendrés par des réactions nucléaires aux premiers instants de l'univers. Cette abondance relative dépend du mode d'expansion de l'univers. Grâce à ces analyses, on a pu déterminer la densité de matière ordinaire (protons, neutrons, électrons) dans l'univers. Elle n'est pas suffisante pour, éventuellement, arrêter l'expansion des galaxies. Sans le concours d'autres matières (encore hypothétiques), le refroidissement du cosmos devrait se poursuivre indéfiniment... Dans les particules du vent solaire on lit l'avenir du monde...

La surface terrestre n'est pas totalement abritée du vent solaire. Notre parapluie magnétique n'est pas parfait. Il y a des fuites. Ce sont les aurores boréales (fig. 8). Elles sont très rares en France. On est trop loin du pôle Nord magnétique qui se trouve dans la terre de Baffin, au Canada. Étudiant, j'ai travaillé il y a longtemps dans les mines de fer du Labrador, dans le grand nord du Québec. Là, presque toutes les nuits, le ciel s'embrase. De vastes lueurs blanches, verdâtres ou rougeâtres se déploient puis se retirent comme les plis ondoyants d'un rideau de théâtre.

Des cascades de raies lumineuses, des déferlements de striations vives se succèdent en alternance, quelquefois jusqu'à l'aube. Étendu sur les mousses de la toundra, ému par la solennité du spectacle, je n'arrivais plus à m'en détacher. À ne pas manquer, si vous prévoyez un voyage sous ces latitudes magnétiques !

Les aurores boréales sont, me disait-on quand j'étais petit, les reflets de la lumière solaire sur les glaces du pôle. Mais les aurores boréales se déploient aussi bien en hiver qu'en été... Or, en hiver, le pôle Nord est plongé dans la nuit arctique. Pendant six mois il ne reçoit aucune lumière solaire à refléter. Aujourd'hui, nous avons une meilleure explication. C'est au vent solaire que les aurores boréales doivent leur existence. Le champ magnétique de la Terre écarte la majorité des particules rapides en provenance du Soleil. Mais des bouffées arrivent quand même à pénétrer notre bouclier magnétique. Les particules sont alors piégées et confinées dans une région appelée les « ceintures de Van Allen », à quelques milliers de kilomètres au-dessus de la Terre. Dans ces vastes réservoirs magnétiques, les particules du vent solaire s'accumulent. Occasionnellement, elles débordent. Les fuites ont lieu au voisinage des pôles (il y a également des aurores australes). Les particules frappent notre haute atmosphère. Sous le bombardement, l'air raréfié s'illumine, comme dans les tubes au néon. Il s'agit d'un

6. Les longues queues des comètes se fragmentent en jets
fins que torsadent les bourrasques du vent solaire.

phénomène de fluorescence, analogue à ceux que nous avons rencontrés dans les nébuleuses colorées. Le vert et le rouge sont les rayonnements caractéristiques de l'oxygène et de l'azote, les composants de notre atmosphère. Des instruments de physique embarqués sur des satellites ont pénétré au sein des aurores boréales. Ils en ont analysé la composition chimique. On a pu, sans équivoque, leur assigner une origine solaire.

Une influence des taches solaires sur la Terre ?

Le cycle d'activité solaire affecte à la fois le nombre des taches et des éruptions, l'intensité du vent solaire et la fréquence des aurores boréales. Y a-t-il d'autres effets sur la Terre ? Sur le climat ou sur les affaires humaines, par exemple ? On a pu montrer que la température de la très haute atmosphère varie tout au long du cycle solaire. Mais rien de semblable n'apparaît au sol. Un seul effet terrestre semble généralement reconnu : l'épaisseur des anneaux concentriques qui marque le passage des années sur les souches des arbres. Elle montre des variations apparemment bien corrélées au cycle solaire. Par quel mécanisme ce cycle affecterait-il la croissance des arbres ? Pourrait-il s'agir de perturbations magnétiques ? Ces effets sont extrêmement faibles au voisinage de la Terre. Jusqu'à très récemment, on ne leur aurait accordé aucune attention. Aujourd'hui, on est plus prudent. L'étude des oiseaux migrateurs et de leurs prouesses d'orientation semble montrer qu'ils utilisent des variations excessivement faibles du champ magnétique terrestre. Les organismes vivants pourraient être beaucoup plus sensibles à l'activité solaire qu'on ne l'a cru jusqu'ici.

Des auteurs ont voulu voir une corrélation entre le cycle d'activité solaire et certains événements humains comme les crises politiques et les guerres. Il est difficile d'établir des

7. Le vent solaire effrite la surface de la Lune et la recouvre
d'une mince couche de poussière. Les pas des astronautes
y sont restés imprimés.

preuves convaincantes. Les statistiques sont trompeuses. Il
convient de montrer la plus grande prudence même si, *a
priori,* de telles corrélations ne sont pas impensables.

Il n'est pas facile de savoir si les autres étoiles, celles de
notre ciel nocturne, sont elles-mêmes soumises à un cycle
d'activité périodique, accompagné de taches et d'éruptions.
Les distances ne nous permettent pas d'observer les détails
de leur surface. Certaines étoiles montrent des changements
rapides de luminosité que nous croyons pouvoir assigner à

8. Sous les latitudes polaires, souvent le ciel s'embrase.
Des ruissellements de lumière descendent du zénith et s'agitent
en cascades nerveuses : c'est une aurore boréale. Les particules
du vent solaire accumulées dans l'ionosphère terrestre
s'échappent et se précipitent en tourbillonnant autour des axes
magnétiques de la Terre. En bombardant les atomes d'oxygène
et d'azote de notre atmosphère, il en provoque la fluorescence.
C'est un spectacle d'une grande beauté. Cette photo a été prise
à bord d'un satellite survolant le pôle magnétique terrestre.

des événements superficiels d'une grande violence. Des
télescopes à rayons X embarqués à bord de satellites ont
confirmé cette supposition. Les sursauts solaires sont très
souvent accompagnés d'une grande émission de rayons X.
De telles émissions proviennent également d'étoiles
soupçonnées, par ailleurs, d'une forte activité superficielle.

Dans les débris d'étoiles

Les phénomènes grandioses à la surface du Soleil ne doivent pas nous distraire trop longtemps. Les événements du centre importent plus. Invisible ? Pas tout à fait. L'observation des neutrinos nous a confirmé l'existence de réactions nucléaires au cœur du Soleil. Combinant les nucléons en noyaux, ces réactions représentent une des étapes primordiales de l'accession à la complexité cosmique.

Les symptômes de la sénilité

Dans cinq milliards d'années, le Soleil aura transformé tout l'hydrogène de son noyau central en hélium. Pourtant, sa vie ne sera pas terminée. Les noyaux d'hélium peuvent, à leur tour, se combiner, trois par trois pour donner du carbone, quatre par quatre pour donner de l'oxygène (fig. 2). Pour cela, il faut augmenter la température du brasier stellaire. Elle doit atteindre plus de deux cents millions de degrés. Ce réchauffement va s'effectuer au

1. La mort d'une étoile. Celle qui agonise est située au centre du cercle vert. Elle évacue sa matière vers l'espace interstellaire. Les atomes éjectés de son sein sont illuminés par l'éclat stellaire. De l'hydrogène et de l'azote vient le rouge. De l'oxygène provient le vert, qui est aussi celui des aurores boréales. Les vents s'accroissent aux vieux jours des étoiles. Ils extraient du brasier interne les noyaux engendrés pendant la vie stellaire. De là, ces particules gagneront des lieux plus froids où elles pourront jouer leur rôle dans l'organisation de la matière. La nébuleuse de l'Hélice présentée ici est à quatre cents années-lumière. Elle s'étend sur environ un mois-lumière. À la même échelle, le système solaire tout entier se confondrait dans l'image de l'étoile centrale.

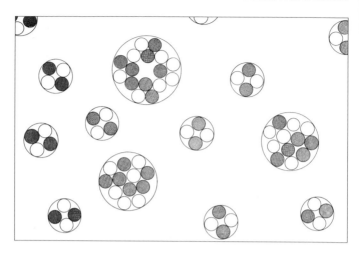

2. Les noyaux d'hélium, composés de deux protons et de deux neutrons, se combinent trois par trois pour former le noyau de carbone, quatre par quatre pour former le noyau d'oxygène. C'est au cœur des étoiles géantes rouges que cette alchimie se poursuit. Une fois de plus, la Nature se livre à son jeu favori : combiner des unités simples pour engendrer des entités plus complexes et plus performantes. Les atomes de carbone et d'oxygène seront les éléments essentiels des phénomènes de la vie.

cours d'une nouvelle période de contraction, qui n'intéressera que la partie centrale de l'étoile. Les couches extérieures, au contraire, vont se gonfler et se refroidir : l'étoile deviendra une géante rouge. Plusieurs des étoiles brillantes de notre ciel nocturne sont des géantes rouges. Ainsi, Arcturus du Bouvier, dans le prolongement de la queue de la Grande Ourse, ou Bételgeuse, l'épaule droite d'Orion, ou encore Antarès du Scorpion, visible au sud par les nuits d'été, à l'ouest de la Voie lactée. Ce sont des étoiles énormes. Leur volume engloberait l'orbite des planètes intérieures de notre système solaire : Mercure, Vénus et la Terre. La plus grosse géante rouge connue est Epsilon du Cocher. Elle contiendrait l'orbite de Mars dans sa masse rougeoyante. Si cette étoile possédait, au temps de sa jeunesse, un système planétaire, elle l'a depuis longtemps volatilisé...

En engendrant de l'oxygène et du carbone, les géantes rouges entrent dans une phase hautement significative de l'organisation de la matière. Ces deux éléments sont de toute première importance pour l'évolution chimique et biologique. Sans eux, l'univers serait très différent. Bien plus pauvre sur le plan de la variété et de la diversité. Les géantes rouges volatilisent leur système planétaire, mais, en échange, elles élaborent les noyaux des civilisations à venir.

Avant d'atteindre les températures requises pour la fusion de l'hélium, le Soleil devra d'abord se gonfler et virer au rouge, pendant que ses couches intérieures se contracteront. Cet événement se passera dans cinq milliards d'années. Il sonnera le glas de la vie sur la Terre, le glas de la Terre elle-même. La matière rocheuse de notre planète se volatilisera. Et aussi tout ce qui se trouve à la surface terrestre : océans, atmosphère, biosphère... Confrontés à cette fin apocalyptique, des interlocuteurs expriment quelquefois leur amertume. « À quoi bon toute cette évolution, s'il faut terminer en vapeur ? » Rappelons que, vraisemblablement, la vie continuera ailleurs, sur d'autres planètes. Et que la mort du Soleil sèmera les germes d'autres formes de vie.

Par rapport à la phase de fusion de l'hydrogène en hélium, la phase de fusion de l'hélium en carbone et oxygène sera relativement courte. Pour le Soleil, elle durera quelques dizaines de millions d'années, à peine, à côté des dix milliards d'années de la phase présente. C'est que, d'une part, notre astre brillera environ mille fois plus qu'aujourd'hui (mais nos descendants ne seront plus là pour s'y réchauffer). D'autre part, l'énergie nucléaire issue de cette seconde fusion sera beaucoup moins abondante. L'hélium s'épuisera au cœur de l'étoile. Il laissera des cendres : le carbone et l'oxygène (fig. 2).

Comme l'hélium et l'hydrogène, ces substances pourront, à leur tour, servir de carburant nucléaire. Mais il faudra à nouveau accroître la température. Encore une période de contraction et le tour sera joué. On approchera alors le milliard de degrés...

Les fusions successives du carbone et de l'oxygène engendreront une riche palette de noyaux précieux, comme le magnésium, l'aluminium, le silicium, qui sont des constituants majeurs des roches terrestres, comme le phosphore et le soufre, qui jouent un rôle essentiel dans l'élaboration du code génétique.

Les phases de fusion seront de plus en plus rapides. On arrivera au bout des réserves nucléaires de la matière. Cet épuisement menacera la vie de l'étoile tout entière. Elle en mourra.

La lente agonie des petites étoiles

Cette mort prend des allures bien différentes selon la masse de l'étoile. Les petites passent par une longue agonie pendant laquelle une grande partie de leur matière est éjectée dans l'espace. Ce phénomène n'est pas tout à fait nouveau pour nous. Notre Soleil souffle sur l'ensemble du système planétaire son puissant vent solaire. Chez les étoiles moribondes, le vent s'intensifie prodigieusement. Des trombes de matière sont projetées au loin.

L'objet circulaire de la figure 1 est une nébuleuse planétaire, dans la constellation du Verseau. On pense aujourd'hui que l'étoile située au centre de l'anneau rouge est en train de mourir. La matière colorée provient de cette étoile moribonde. Ces festons rouges et verts sont composés d'atomes qui se trouvaient, il y a moins d'un million d'années, à l'intérieur du volume stellaire. Regardons plus attentivement. À la frontière irrégulière entre le disque vert et l'anneau rouge, des lignes radiales, des sortes de traits en pointillé semblent émerger de l'astre central, comme pour souligner la puissance des courants de cette évacuation massive. C'est l'étoile elle-

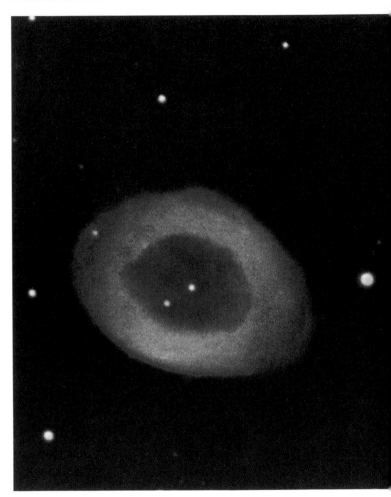

3. La nébuleuse planétaire de la Lyre. Le mot « planétaire » est erroné. On a pensé qu'il s'agissait d'un système solaire en formation. On y voit maintenant l'agonie d'une étoile. Ici, comme dans la figure 1, une étoile se dépouille de ses voiles et laisse voir son cœur dénudé. Ce cœur deviendra une « naine blanche », un cadavre stellaire qui s'éteindra lentement.

même qui, par fluorescence, illumine la matière éjectée. Le vert dans la partie intérieure est émis par les atomes d'oxygène. Cette teinte est nommée « aurorale » d'après la couleur des aurores boréales (chap. v, fig. 8). À l'extérieur, le rouge vient en partie de l'hydrogène et en partie de l'azote. Non pas que ces éléments soient particulièrement concentrés. C'est une question de température. Là où elle est plus élevée, c'est l'oxygène qui rayonne. Là où elle est plus basse, l'azote et l'hydrogène s'illuminent.

Voilà, si l'on en croit les astrophysiciens, l'allure que prendra notre Soleil à l'épuisement de ses réserves d'énergie nucléaire. Cet anneau lumineux s'étend sur près d'un mois-lumière. Par comparaison, nos planètes géantes ne sont qu'à quelques heures-lumière du Soleil. Jupiter, Saturne, Uranus, Neptune, épargnées par la transformation du Soleil en géante rouge, seront alors volatilisées. Par de puissants courants, semblables à ceux que l'on devine dans la nébuleuse planétaire du Verseau, leur matière sera précipitée dans l'espace. La boucle est fermée, le cycle est complet. De l'espace à l'étoile, par la condensation d'un nuage ; de l'étoile à l'espace, par l'éjection des couches extérieures.

Pourtant, il ne s'agit pas vraiment d'un cycle. On ne revient pas tout à fait au point de départ. Il y a quelque chose de nouveau. La matière qui *retourne* à l'espace est différente de celle qui *vient* de l'espace. On y trouve les éléments chimiques que l'étoile a engendrés : carbone, oxygène, magnésium, etc. Ces atomes n'existaient pas avant la naissance de l'astre. Ils sont là maintenant, grâce à l'activité constructive des creusets stellaires. Chaque étoile contribue à enrichir le milieu interstellaire en éléments lourds. Au début de la Galaxie, ces éléments étaient absents. Graduellement, et par l'apport d'une multitude de générations d'étoiles, leur abondance a pu croître jusqu'à sa valeur présente. Plutôt que d'un cycle, il faudrait donc parler d'une *spirale*. Elle se déroule depuis plusieurs milliards d'années. Elle s'inscrit dans le cadre plus vaste de l'organisation de la matière. J'aurais pu intituler ce livre *La Spirale de l'évolution cosmique.*

Les abondances chimiques ne sont pas les mêmes partout. Elles sont plus élevées dans les régions centrales des galaxies qu'à leur périphérie, plus élevées dans les galaxies spirales que dans les irrégulières. Ces observations nous renseignent sur le rythme d'activité stellaire en ces différents endroits. Les abondances sont reliées à la fréquence plus ou moins rapide des natalités stellaires. Mais nous ne savons pas pourquoi cette fréquence varie d'une région à l'autre.

D'autres nébuleuses planétaires nous présentent des événements semblables. Celle de la Lyre (fig. 3) est bien connue des astronomes amateurs. On peut la voir avec un télescope de puissance relativement modeste. L'étoile moribonde est facilement repérable au centre géométrique de l'anneau coloré (les autres étoiles que l'on voit sur cette image sont soit plus près, soit plus loin que la nébuleuse. Elles n'ont aucun rapport avec elle). Les différentes teintes que prennent les matières éjectées sont liées aux températures auxquelles l'émission de lumière de l'étoile centrale les a portées. N'oublions pas de garder ouvert l'œil de la contemplation, avec celui de l'analyse. Comme les couchers de soleil, les agonies stellaires sont des spectacles grandioses et solennels.

Comment s'achève ce scénario de la mort des petites étoiles ? Le déferlement de matière va se ralentir et s'arrêter. Il laissera sur les lieux un cœur stellaire dénudé, à peine plus gros que notre Lune. C'est une naine blanche. Elle dissipera lentement, sous forme de lumière, la chaleur qui lui reste. Pâlissante, elle deviendra plus tard une naine noire, une étoile sans énergie, recroquevillée sur elle-même. Un cadavre stellaire. Sa densité atteindra une tonne au centimètre cube. Dans notre Galaxie, près de 10 % des étoiles sont des naines. Ces résidus stellaires ont déjà parcouru le cycle de leur existence et apporté à l'univers leur moisson de noyaux lourds.

4. Les astronomes découvrent quelquefois, dans les clichés de galaxies, une source lumineuse nouvelle, absente dans les photos antérieures. Ils savent alors qu'une étoile massive vient d'éclater et qu'elle brille comme cent millions de Soleils. Cette lueur propage, à des milliards d'années-lumière, une heureuse nouvelle : une moisson de noyaux atomiques est arrivée à terme.

La flèche blanche indique l'apparition d'une supernova dans la galaxie NGC 4096, située à cinquante millions d'années-lumière.

L'explosion fulgurante des grosses étoiles

Passons maintenant à la mort des étoiles massives. Là nous changeons de scénario. Ce n'est plus une évacuation lente dont il s'agit, mais une fulgurante explosion. En quelques heures, une étoile peut devenir plus brillante que cent millions de Soleils. La température monte jusqu'à des dizaines de milliards de degrés. Ce brasier nucléaire est une véritable usine à noyaux lourds. De la panoplie du chimiste, presque toutes les espèces atomiques seront ici engendrées. Comme dans les creusets de l'alchimiste, le fer, le plomb, l'argent et l'or nagent dans un magma incandescent, en compagnie de l'iode, de l'iridium, de l'uranium et de bien d'autres encore. C'est le feu d'artifice de l'évolution nucléaire qui se manifeste avec un éclat visible à des milliards d'années-lumière.

Les archives historiques font état de diverses observations de *supernovae* (c'est ainsi que l'on appelle ces événements spectaculaires) au cours des âges. On en relève dans de nombreux documents astronomiques, jusqu'à des périodes antérieures à notre ère. Les plus célèbres sont celles de 1054 et de 1066, puis celles de 1572 et de 1604, observées respectivement par Tycho Brahe et par Kepler. Depuis cette date, personne n'en a vu dans notre Voie lactée. C'est chez nos voisines galactiques qu'on a effectué les observations les plus récentes. Dans la figure 4, on voit l'effet d'une supernova dans la galaxie NGC 4096 située à cinquante millions d'années-lumière.

Après l'explosion, la matière de l'étoile se répand brutalement dans l'espace, à des vitesses de plusieurs milliers de kilomètres par seconde. Le volume occupé par ce « rémanent de supernova » s'accroît avec les années. La matière éjectée demeure longtemps lumineuse. Orientons le télescope dans la direction de la supernova de 1054, minutieusement décrite par les astronomes chinois de l'époque (fig. 5). Voici ce qu'est devenue l'étoile défunte (fig. 7 et fig. 2, chap. I).

Cet objet, appelé la nébuleuse du Crabe, est situé dans la

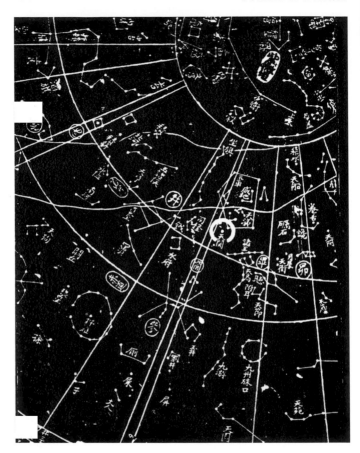

5. Le matin du 4 juillet 1054, des astronomes chinois ont observé l'apparition d'une étoile particulièrement brillante. Sa position est notée par un cercle blanc, vers le milieu de cette carte antique. Ce phénomène, que nous appelons « supernova », provient de l'explosion d'une étoile massive à la fin de sa vie. Les restes de l'étoile nous apparaissent aujourd'hui sous la forme de la nébuleuse du Crabe.

Sur la carte, nous reconnaissons la constellation d'Orion, un peu en bas du cercle blanc.

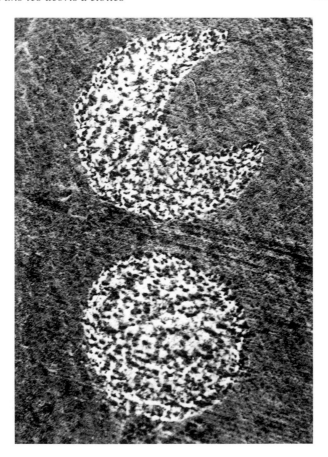

6. Les Chinois ne sont pas les seuls à avoir vu et enregistré le passage
de l'« étoile Hôte ». On a d'excellentes raisons de croire que ces dessins
sur pierre ont été inspirés aux Indiens Navajos, en Arizona, par
l'apparition d'une étoile formidablement lumineuse, un peu au-dessous
du croissant de Lune. Les positions relatives de la Lune et de l'étoile
nouvelle correspondant bien à celles que l'on retrouve par calcul pour le
matin du 4 juillet 1054. On ne trouve pas de rapport de cet événement
dans la littérature médiévale de l'Occident. Mais tant de livres, tant de
bibliothèques ont flambé par accident, intolérance ou autodafé !

constellation du Taureau. Il se trouve à six mille années-lumière. Dans cet incroyable enchevêtrement de matière colorée, dans ces filaments déchiquetés, la violence du choc maintient le gaz en état de perpétuelle agitation. Les observations de ce rémanent se poursuivent depuis près d'un siècle. Des photos prises à diverses époques montrent que le volume continue sa croissance régulière. Il va même en s'accélérant (on ne sait pas pourquoi).

Les œuvres du rayonnement cosmique

Dans la nébuleuse du Crabe se manifestent plusieurs phénomènes étonnants. Notons, par exemple, l'éclat nébulaire bleuté de la figure 7. Il s'agit d'un rayonnement très particulier appelé « rayonnement synchrotron ». Ce même rayonnement luit dans les tubes où les physiciens accélèrent des particules chargées à des vitesses voisines de celle de la lumière. Cette observation nous indique que foisonnent dans la nébuleuse du Crabe les particules ultra-rapides. Par un mécanisme encore mal compris, les explosions stellaires parviennent à accélérer des particules, tout comme les accélérateurs des physiciens.

Ces particules rapides ne restent pas confinées au rémanent de supernova qui leur a donné naissance. Elles se répandent dans notre Galaxie. Ce sont les « rayons cosmiques ». La haute atmosphère de notre planète est continuellement bombardée par ces minuscules voyageurs de l'espace. Ils vont jouer des rôles multiples pour la structuration de la matière.

D'abord, au plan de l'évolution nucléaire. Il y a trois éléments chimiques que les étoiles sont incapables de synthétiser : le lithium, le béryllium et le bore. Leur structure nucléaire très fragile ne résiste pas aux fortes températures internes. C'est dans les grands froids de l'espace qu'ils prennent naissance. L'événement a lieu quand un rayon

7. La nébuleuse du Crabe (voir chap. I, fig. 2).

cosmique, naviguant parmi les nuages interstellaires, rencontre sur sa route un atome de carbone ou d'oxygène. Sous l'impact, le noyau de l'atome se casse en plusieurs fragments. Ces résidus nucléaires seront, en certains cas, des noyaux de lithium, de béryllium ou de bore. C'est ainsi que ces trois éléments chimiques font leur entrée dans notre univers. Ces événements sont très rares. Ils suffisent pourtant à rendre compte de la très faible abondance de ces éléments dans notre Galaxie. Un gramme d'acide borique acheté en pharmacie représente tous les atomes de bore engendrés dans un volume égal à celui du Soleil pendant un milliard d'années...

Nous retrouverons les rayons cosmiques en d'autres chapitres de notre narration. Certains d'entre eux prennent naissance au sein des supernovae. D'autres, nous le savons aujourd'hui, sont accélérés au moment des éruptions solaires. D'autres enfin proviennent d'événements plus énergétiques encore, dans les noyaux actifs de certaines galaxies, et peut-être dans les quasars.

Dans le domaine des réacteurs nucléaires, comme dans celui des accélérateurs, la Nature a précédé l'homme. Il y a cent ans, on ignorait l'existence même des réactions nucléaires, et *a fortiori* la possibilité de les provoquer par l'accélération de particules chargées. C'est au milieu de notre XXᵉ siècle que les humains fabriquent les premiers accélérateurs. Quelques années plus tard, l'astronomie nous apprend que la Nature, depuis longtemps, en connaît les secrets. Elle les réalise dans un style monumental...

Un noyau atomique gros comme une étoile

Parmi les objets insolites de la nébuleuse du Crabe se trouve une étoile extrêmement curieuse ; elle clignote (fig. 8)... Elle s'allume et s'éteint à un rythme démentiel : trente fois par seconde. La variabilité de certaines étoiles est connue depuis longtemps. Les Arabes ont appelé Algol (l'Œil du Diable) un astre qui disparaît et réapparaît au fil des nuits. Aujourd'hui, les variables se dénombrent par milliers. Leurs

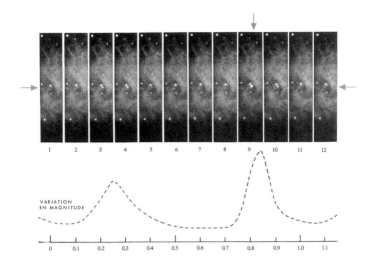

8. Voici une série de photos successives de la nébuleuse
du Crabe (partie centrale). Chaque photo est prise trois millièmes
de seconde après la précédente. En dessous de l'étoile centrale,
un point lumineux, presque invisible dans l'image 1, apparaît
vers les images 3 et 4, disparaît en 5, 6 et 7 et revient en 8 et 9,
pour s'éteindre en 11 et 12. C'est un pulsar qui tourne à trente
tours par seconde (dix images ici représentent une révolution
complète) et qui nous éclaire à la façon d'un phare.
Ce pulsar est le résidu de l'étoile qui a explosé en 1054.
C'est maintenant une « étoile à neutrons ». À peu de chose près,
il aurait pu devenir un « trou noir ».

périodes se situent généralement entre quelques heures et
quelques années. Mais, ici, le rythme est si rapide que l'œil
humain ne peut pas le suivre. Cette pulsation est détectée par
une technologie électronique appropriée.

Quelle peut être la nature de cet astre endiablé ? Après de
longues discussions, parfois très animées, les astrophysiciens
se sont mis d'accord sur l'interprétation suivante. Au moment
de l'explosion d'une supernova, la matière stellaire n'est pas
entièrement rejetée au loin. Il y a, comme pour les nébuleuses

planétaires, un résidu. Tandis que les couches extérieures explosent, le noyau central de l'étoile « implose ». Il s'effondre brutalement sur lui-même, presque en chute libre. L'implosion s'arrête quand le résidu n'a plus qu'une dizaine de kilomètres de diamètre, à peu près la dimension d'une grosse montagne terrestre. Sa densité est extrême. Plusieurs centaines de millions de tonnes par centimètre cube : la masse du paquebot *France* dans le volume d'un grain de riz... Dans cet écrasement, les atomes sont fracassés. Les noyaux se rejoignent, se touchent et se dissolvent en nucléons. L'étoile entière est un noyau ; les neutrons au centre, les protons à la surface. C'est une étoile à neutrons.

Pourquoi cet objet clignote-t-il ? On pense que, contrairement aux étoiles ordinaires, il ne brille que sur une partie de sa surface. Par ailleurs, il tourne sur lui-même à trente tours par seconde. Pendant cette révolution, sa lumière balaie l'espace : c'est un phare comme ceux que l'on place sur les récifs pour avertir les navires.

Pourquoi cet astre tourne-t-il si vite ? Toutes les étoiles tournent, mais en général beaucoup plus lentement. Le Soleil met plus de vingt jours pour accomplir sa propre révolution. Les étoiles plus rapides prennent quand même plusieurs heures. Tout se passe au moment de l'implosion. En s'écrasant, le noyau de l'étoile accroît prodigieusement sa rotation, comme la patineuse artistique quand elle ramène ses bras vers son corps.

Cet objet, concentré et clignotant, a reçu le nom de *pulsar*. On en connaît aujourd'hui plusieurs centaines, répartis un peu partout dans la Galaxie. Comme les naines blanches, ce sont des cadavres stellaires. Leur matière s'est extraite du cycle nuage-étoile-nuage. Écrasée sur elle-même, elle ne s'échappera plus du volume restreint où la retient captive une gravité aux proportions extrêmes. Certains pulsars clignotent jusqu'à mille fois par seconde. Ils émettent sur toutes les longueurs d'ondes : du rayonnement gamma et X jusqu'aux longues ondes des émissions radio. À chaque battement, ils nous rappellent leur contribution passée à la cause de la complexité cosmique.

Le matin du 23 février 1987, une supernova est apparue dans le Grand Nuage de Magellan, à 160 000 années-lumière de la Terre (fig. 5, chap. III). Ce sursaut lumineux annonçait la mort d'une étoile massive. En même temps, un flash de neutrinos a été détecté. Ces particules provenaient du cœur même de l'étoile en explosion. Elles confirmaient la valeur de nos théories sur l'évolution stellaire.

Depuis ce jour, une multitude d'instruments, au sol et en orbites, suivent de près l'évolution de cette supernova. Elle constitue, pour les astronomes, un véritable laboratoire cosmique.

Des trous noirs dans le ciel

Naines blanches et étoiles à neutrons ne sont pas les seuls résidus possibles de la vie des étoiles. Il y a aussi, en certains cas, production d'un « trou noir ». Tout se passe à peu près comme dans le cas de l'étoile à neutrons : explosion des couches extérieures, implosion du noyau central. La différence, c'est que l'implosion se prolonge un peu plus avant. Le rayon se réduit à moins d'un kilomètre (au lieu d'une vingtaine pour les étoiles à neutrons). La masse, pourtant, est à peu près celle du Soleil. Ici, comme dans le cas des objets super-denses au cœur des quasars, le champ de gravité suffit à retenir la lumière au voisinage de l'objet.

Pourquoi un trou noir plutôt qu'une étoile à neutrons? Probablement à cause de la masse de l'étoile en explosion. Plus la masse est grande, plus l'implosion sera violente et prolongée. Mais ce problème reste encore très mal connu.

Les trous noirs dépassent en extravagance les phantasmes les plus délirants des auteurs de science-fiction. La matière qui s'en approche s'y engouffre inexorablement. Elle disparaît, littéralement projetée hors du temps et de l'espace. Et si, comme les pulsars, cet objet tourne sur lui-même, ces atomes happés pourraient ensuite s'en échapper. Mais où? *On n'en sait rien.* La théorie ici nous laisse sans réponse. Ailleurs dans notre univers ? Dans un autre univers avec lequel nous n'aurions aucun contact ? Toutes les spéculations sont permises...

Profitons-en. Laissons voguer notre imagination. Supposons que surgissent ici et là, dans notre univers, des sources de matière en provenance d'autres univers. Des « trous blancs », des « fontaines blanches », à l'extrémité du tunnel d'un trou noir. Les candidats ne manquent pas. D'où viennent les noyaux de quasars et leur double jet aux dimensions gigantesques ? On n'a pas manqué d'évoquer l'hypothèse d'une injection de matière venue d'ailleurs. Et les étoiles nouvelles ? Elles ont aussi des jets doubles. Connaît-on bien leur origine ? Et même, voyons plus vaste, l'univers dans son entier. Est-ce un trou noir à l'échelle de ses dimensions ? Mais le scientifique ne se satisfait pas du simple discours de l'imagination. Par expérience, le physicien se méfie des thèses nouvelles aux visions inhabituelles. L'extraordinaire, cela peut être aussi la solution de la facilité. Il faut des preuves. Il faut des observations critiques. Existe-t-il une donnée expérimentale qui permette d'accorder une crédibilité quelconque à l'idée que les étoiles naissent dans un trou blanc ? Aujourd'hui, aucune. Cette thèse n'est pour l'instant qu'un aimable sujet de conversation.

Bâtir des planètes

Les cathédrales se bâtissent avec des pierres de taille, les planètes avec des grains de poussière interstellaire. Au long de ce chapitre, nous allons suivre de près le processus de fabrication. On utilisera tour à tour deux ciments différents : la force électromagnétique et la force de gravité. Notre visite débutera au sein des éclaboussures d'étoiles défuntes et se terminera tout près de notre Soleil.

La fertilité de l'espace interstellaire

Voici maintenant l'un des plus prodigieux spectacles de la Nature : l'expansion d'un rémanent de supernova. Une masse incandescente, soufflée au loin par une gigantesque explosion, à la mort d'une grosse étoile. Un vaste laboratoire de chimie. Un des hauts lieux de la complexité cosmique. L'activité organisatrice de la Nature reprend avec vigueur. Cette fois, c'est la force électromagnétique qui dirige les opérations. Les matériaux : les noyaux et les électrons qui émergent du creuset stellaire. Les produits : les premières molécules et les premiers grains de poussière. De ces produits naîtront plus tard les planètes, leurs atmosphères et, qui sait, peut-être leurs biosphères.

L'explosion a fait monter la température à des dizaines de milliards de degrés. Cette chaleur, concentrée dans le noyau de l'étoile, provoque la violence de l'expansion. La masse gazeuse va se refroidir à la détente, comme dans le cylindre d'un moteur à essence.

Se dilatant, elle va rencontrer la résistance ; l'espace n'est pas vide. Entre les étoiles il y a de la matière : un atome par centimètre cube en moyenne. Dans les nébuleuses, cent, mille et plus encore. Cette matière,

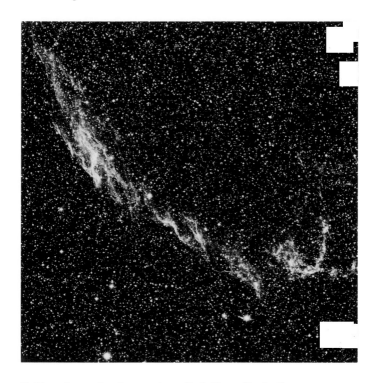

2. Cette frange lumineuse s'appelle la Dentelle du Cygne.
Elle est située dans la constellation du Cygne, juste
au-dessus de nos têtes, les soirs du mois d'août.
Elle provient d'une explosion stellaire qui a eu lieu il y a
environ cinquante mille ans.

Ci-contre :
1. Les rémanents de supernovae sont de grands
laboratoires de chimie céleste, dans ces lambeaux
de matière éjectée d'une étoile, des noyaux se combinent
avec des électrons pour former des atomes. Ces atomes
à leur tour se cherchent pour former des molécules
et des grains de poussière.

3. Détail de la Dentelle du Cygne.
Les débris de l'étoile dont elle
provient achèvent de se résorber dans
l'espace interstellaire. Les atomes
dispersés vont poursuivre ici même
l'œuvre de la complexité cosmique.

balayée par l'explosion, sera repoussée comme la neige devant le chasse-neige. Mélangée aux gaz en expansion, elle va en accélérer le refroidissement. La figure 1 nous montre l'allure d'un rémanent de supernova après une longue période de dilution spatiale : des filaments irréguliers disposés en arc de cercle. Quelque part vers le centre de cet arc, une étoile massive est morte il y a environ cinquante mille ans. Nos cousins du Néanderthal l'ont peut-être observée. En festons colorés, les gaz ondulent comme la fumée d'une cigarette dans une atmosphère calme. La dilution et le refroidissement s'achèvent. Quelques milliers d'années encore et l'on ne verra plus rien.

Le cycle nuage-étoile-nuage arrive à son terme. Le cycle, plus exactement la spirale. Dans ces volutes colorées, il y a quelque chose de nouveau. Quelque chose qui n'existait pas auparavant dans le monde. Des atomes lourds, engendrés au long des jours tranquilles de l'étoile, et dans la fulgurance de sa mort.

Des rémanents de tous âges jalonnent notre Voie lactée. Mille ans après l'explosion, ils atteignent des dimensions de plusieurs mois-lumière, comme la nébuleuse du Crabe (chap. VI, fig. 7 et chap. I, fig. 2). Cinquante mille ans plus tard, au moment de se résorber dans le gaz interstellaire, ils dépasseront la dizaine d'années-lumière. Les figures 2 et 3 illustrent quelques phases intermédiaires de ces rémanents. Par leur chaleur et leur pression, ils influencent et perturbent la structure de notre Galaxie.

Les régions de natalité stellaire abondent en rémanents de supernovae. Ce n'est pas un hasard. Les super-géantes bleues, qui marquent le tracé des bras spiraux, ont des vies courtes : quelques millions d'années. Elles parcourent toutes les étapes de leur vie et de leur mort sans quitter leur berceau natal. Depuis un million d'années, au moins cinq étoiles sont mortes et se sont dispersées dans la constellation d'Orion. Leurs débris luisent encore dans la « boucle de Barnard » dont l'arc circonscrit la pouponnière d'étoiles (chap. IV, fig. 2).

Les laboratoires de la chimie céleste

Revenons aux phénomènes physiques qui se déroulent dans ces filaments d'étoiles. On y trouve des électrons (négatifs) et des noyaux (positifs). Ils s'attirent mutuellement et voudraient bien se joindre. Qu'est-ce qui les en empêche ? La chaleur ! Elle agit comme une force de dissociation, de désorganisation. Aussitôt qu'un noyau

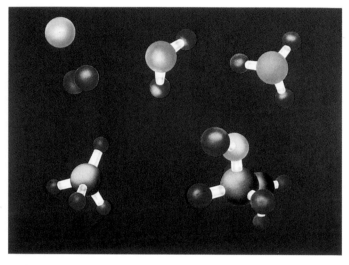

4. Éjectés du cœur brûlant des étoiles, les noyaux gagnent les grands froids de l'espace interstellaire. Sous l'aiguillon de la force électromagnétique apparaissent les premiers atomes et les premières molécules. Célébrons au passage la naissance d'une substance merveilleuse : l'eau. Elle résulte de l'association d'un oxygène et de deux hydrogènes. Dans le jeu de la matière qui s'organise, elle jouera un grand rôle. D'autres structures chimiques vont faire ici leur apparition : le méthane (carbone et hydrogène), l'ammoniac (azote et hydrogène) et même l'alcool, composé de deux carbones, six hydrogènes et un oxygène. Dans cette représentation conventionnelle, les atomes sont des boules : le carbone est gris, l'oxygène bleu, l'azote jaune et l'hydrogène rouge.

capture un électron, elle l'arrache par le biais des collisions violentes qu'elle provoque. Nous retrouvons ici une situation analogue à celle de l'explosion initiale. La température doit décroître pour que la chaleur perde sa puissance destructrice. Mais pas trop. Sinon, tout s'arrête. C'est une question de dosage.

Quand la température de nos filaments descend en dessous du million de degrés, les électrons se fixent autour

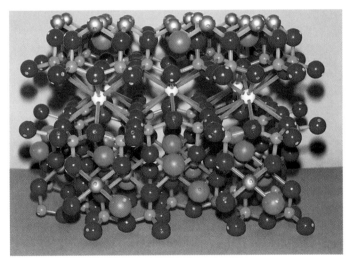

5. Dans les débris refroidis des étoiles défuntes,
les atomes nouveau-nés s'associent de multiples façons.
En plus des molécules simples illustrées précédemment
(fig. 4), on voit aussi apparaître des structures
compactes : les grains de poussière interstellaire,
les premiers corps solides de l'univers. Vus sous fort
grossissement, ces grains sont constitués d'atomes
alignés selon des géométries rigoureusement
déterminées. Ici, les boules colorées identifient
les espèces atomiques : silicium, oxygène ou fer.
Dans chaque orientation, le même dessin se répète
des milliards de fois.

6. Nées dans les vestiges de supernovae, les poussières
se dispersent dans l'espace. Les molécules d'eau, de méthane
et d'ammoniac s'attachent à leur surface en couches givrées.
Soumis à l'impact des rayons cosmiques (chap. XI, fig. 2),
les arrangements moléculaires s'y font et s'y défont. L'espace
bourdonne d'activité électromagnétique.

des noyaux. Les premiers arrivés se placent sur les orbites
les plus intérieures. Tour à tour, les places disponibles sont
toutes occupées ; les atomes apparaissent, tels que nous les
connaissons.

Les atomes, à leur tour, se cherchent et se trouvent. Des
molécules prennent naissance ; simples, mais appelées à un
grand avenir (fig. 4). En particulier la molécule d'eau,
créée par l'association de deux atomes d'hydrogène avec
un atome d'oxygène. Pour les Grecs anciens, l'eau est une
substance primaire, l'une des quatre substances qui forment
le monde, avec le feu, l'air et la terre. L'eau préexiste à
tout. Pas tout à fait, dit l'astronome moderne. L'eau
préexiste à la Terre, mais pas aux étoiles. C'est dans les
méandres colorés des rémanents de supernovae qu'il faut
chercher son origine.

7. Les étoiles des Pléiades sont enveloppées de nuées de poussières qui en brouillent les images. Sous l'influence de la gravité, ces poussières peuvent ensuite s'accumuler en blocs rocheux autour d'étoiles nouvelles. Nos planètes rocheuses, la Terre, la Lune, Mercure, etc., sont d'immenses agrégats de grains solides issus des lambeaux d'étoiles. Les glaces (eau, méthane, ammoniac) des surfaces givrées se transforment en atmosphères et en océans. Gris et anonymes, ces petits grains sont pourtant riches de promesses.

D'autres molécules simples, comme le monoxyde de carbone (carbone et oxygène) et l'ammoniac (azote et hydrogène), se constituent par des rencontres analogues. Mais l'activité chimique ne s'arrête pas là. On observe aujourd'hui dans le ciel près d'une centaine de molécules issues de telles combinaisons. Certaines regroupent plus de treize atomes. Le chimiste y reconnaît des substances familières, tels l'acétylène, deux sortes d'alcool ainsi que l'acide formique, cet acide utilisé par les fourmis pour baliser la route de leur nourriture.

En parallèle avec les premières molécules, les premiers corps solides apparaissent au sein des débris d'étoiles. Ici encore, c'est le jeu des associations d'atomes qui est à l'œuvre. L'oxygène, le magnésium, le silicium, le fer, en particulier, se prêtent à ces combinaisons. Ces atomes se rencontrent et se disposent pour former un réseau extrêmement rigide. Ce sont des poussières ou *grains* rocheux, minuscules à nos yeux, mais gigantesques à l'échelle atomique (fig. 5). Ils peuvent incorporer des milliards d'atomes.

Ces « poussières », engendrées dans les déferlements de matière en provenance des supernovae, éclairées par la lumière des étoiles bleues, se manifestent à nous sous la forme des nébulosités striées qui nimbent les Pléiades (fig. 7). La lueur bleutée de la nébuleuse du Trèfle en offre un autre exemple (chap. IV, fig. 7).

Comment des entités aussi complexes que les molécules interstellaires ont-elles pu s'associer dans le ciel ? Loin des étoiles, il fait très froid et l'espace est vide. Les atomes ont très peu de chance de se rencontrer. Les millions, les milliards d'années ne suffiraient pas à rendre compte de regroupements aussi importants dans une matière aussi diluée. Pourtant, ces molécules existent : elles foisonnent dans l'espace interstellaire. C'est le jeu combiné des poussières et des rayons cosmiques qui va nous apporter la solution.

Poussières et rayons cosmiques

Les propriétés de la lumière réfléchie par ces poussières nous permettent d'en explorer la constitution. Il s'agit, semble-t-il, de petits grains rocheux entourés d'une mince couche de « glace ». Le mot glace inclut en l'occurrence l'eau gelée, mais aussi d'autres substances telles que le gaz carbonique solidifié (sous forme de « neige carbonique »), le méthane, l'ammoniac et divers hydrocarbures. Aux grands froids interstellaires, ces substances se fixent en rangs serrés à la surface des grains rocheux qui errent dans l'espace.

Soumises en permanence aux bombardements des rayons cosmiques (fig. 6), ces molécules se transforment continuellement. Sous l'impact, elles se brisent. Les fragments se combinent entre eux pour engendrer des formes nouvelles. De ce jeu incessant de captures et de dissociations naissent parfois des entités inédites : les molécules complexes des espaces sidéraux.

8. On pourrait croire que les anneaux de Saturne sont d'un seul tenant. En fait, il s'agit de nuées de pierrailles, dispersées tout au long du plan équatorial, qui circulent en orbites individuelles autour de la planète.

Des anneaux semblables autour du Soleil juvénile pourraient bien avoir joué un rôle dans l'élaboration du système solaire. L'étape précédente serait celle de la figure 7 qui illustre l'étalement diffus des poussières interstellaires au voisinage d'une étoile nouvelle. Sous l'effet de la gravité et de la force centrifuge, ces grains se seraient ensuite assemblés dans le plan équatorial solaire. Puis, par le jeu des collisions, les planètes se seraient accumulées dans leur position respective.

On reconnaîtra l'une des recettes favorites de la Nature : assembler des unités élémentaires, ici les poussières et les gravillons, pour engendrer des êtres nouveaux, ici les planètes, appelés à jouer un rôle inédit dans l'organisation de la matière.

Ce n'est pas la première fois que les rayons cosmiques interviennent dans notre histoire. Grâce à eux, l'évolution nucléaire a pu mettre au monde trois éléments : le lithium, le béryllium et le bore. Ici, ils se font les agents de l'évolution chimique (dans sa phase interstellaire). Ces particules rapides frappent au hasard. Pourtant, ce hasard ne va pas n'importe où. Son chemin est tracé. Tôt ou tard, il mènera à la production de molécules complexes à partir de molécules simples. La nature « utilise » le hasard pour organiser la matière.

Ces molécules ne sont pas confinées à notre voisinage terrestre. On les retrouve tout au long de la Voie lactée, ainsi que dans les galaxies extérieures. La matière s'organise partout de la même façon. Les supernovae, qui donnent naissance aux rayons cosmiques, s'observent jusqu'à des centaines de millions d'années-lumière (chap. VI, fig. 4). Les grains de poussière apparaissent dans la région équatoriale des galaxies les plus lointaines (chap. III, fig. 9). La chimie spatiale, amorcée par les particules rapides sur les couches de glace des poussières interstellaires, est, sans nul doute, un phénomène à l'échelle de l'univers.

Dans le roman de la matière qui s'organise, les poussières cosmiques jouent plusieurs rôles. Elles catalysent la chimie de l'espace et constituent les briques dont sont formées les planètes. Méropée, dans la constellation des Pléiades, est un astre nouveau tout juste issu de sa gangue gazeuse. L'image de l'étoile est brouillée (fig. 7). Méropée baigne dans une nébulosité diffuse où foisonnent les grains de poussière, tout comme, vraisemblablement, le Soleil à sa naissance.

La nébuleuse solaire

Au chapitre V, nous avons choisi d'illustrer les débuts du Soleil en nous insérant dans l'amas infrarouge de la constellation d'Orion. Après plusieurs phases de condensation et de fragmentation, voici devant nous une modeste nébuleuse appelée à un grand avenir. Modeste ? Sa masse atteint quand même plus de deux milliards de milliards de milliards de tonnes... C'est de cette nébuleuse que vont naître le Soleil ainsi que toutes les planètes, satellites et astéroïdes du système solaire.

Comme notre Galaxie, comme les nuages interstellaires, comme toutes les étoiles et planètes, notre nébuleuse tourne sur elle-même. C'est un disque fortement aplati. Son diamètre s'étend sur plus de cinq heures-lumière. Près de l'axe du disque, il fait très chaud. La matière, incandescente, s'y concentre et engendre le Soleil. Plus loin, les poussières se disposent en anneaux successifs.

Les magnifiques images que les satellites *Voyager* nous ont transmises de la planète Saturne peuvent nous donner une idée de la situation (fig. 8). Les anneaux, vus de près, se décomposent en innombrables « annelets », comme des sillons d'un disque phonographique. Les couleurs sont artificielles. Elles illustrent les différences de compositions chimiques, selon un codage prédéterminé. Chacun de ces annelets est composé d'un très grand nombre de petits cailloux en orbites individuelles autour de la planète.

L'effet de marée

On imagine une répartition semblable de petits corps autour du Soleil primitif. La matière d'un anneau agglutinée sur elle-même deviendrait éventuellement une planète. Les anneaux de Saturne subiront-ils le même sort ? Non. À cause de l'« effet de marée », disent les astrophysiciens.

Les eaux de l'océan se soulèvent et s'abaissent deux fois par jour. On en fait l'expérience au bord de la mer. L'attraction de la Lune (combinée à celle du Soleil) est responsable de ces mouvements océaniques. Il y a aussi des marées terrestres. Tous les jours, quand la Lune monte dans le ciel, la plaque rocheuse des continents s'élève à sa rencontre de quelques centimètres. En même temps, un soulèvement équivalent se produit aux antipodes. Si rigide soit-elle, la pierre possède une certaine élasticité. Les

9. Quand les dernières lueurs du couchant se sont éteintes, on
aperçoit, à certaines périodes de l'année, la « lumière zodiacale ».
Sa blancheur laiteuse s'élève au-dessus de l'horizon, là où
le Soleil vient de disparaître. Elle nous révèle la présence, autour
du Soleil, d'un disque de fines poussières sur lesquelles sa lumière
se réfléchit. Comme les anneaux de Saturne, ce disque nous
indique le mode de formation du système solaire.
(Gravure de E. Guillemin et Ph. Benoist d'après les observations
de G. Jones, Paris, 1877.)

10-11. Des nuées de grains et de gravillons sont dispersées, ici et là, dans notre système solaire. Il s'agit vraisemblablement de débris de comètes antiques volatilisées à l'approche du Soleil. À l'occasion, notre Terre traverse ces nuées et des pluies de poussières tombent à sa surface. Des avions supersoniques sont allés les chercher très haut dans l'atmosphère. Leurs dimensions se mesurent en microns (millièmes de millimètre). Ils n'en

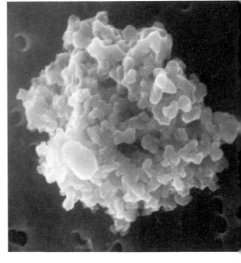

présentent pas moins une structure complexe. Ce sont des agrégats de grains plus minuscules encore.

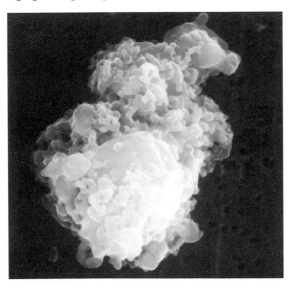

plaques continentales peuvent se soulever sans se rompre.

Par ces effets de marée, la Lune déforme la Terre. Mais la Terre déforme aussi la Lune. Et d'une façon beaucoup plus efficace, à cause de sa grande masse. C'est pour cela que la Lune nous présente toujours la même face. Ce n'était pas le cas dans le passé. Au cours des ères, la marée terrestre a freiné progressivement la rotation de la Lune, l'immobilisant dans l'orientation présente. Elle a aussi déformé notre satellite. Il n'est plus sphérique, mais légèrement allongé (comme un ballon de rugby) dans la direction de la Terre. Supposons maintenant que la Terre soit beaucoup plus massive. Ou encore, que la Lune soit beaucoup plus rapprochée. L'étirement induit sur le volume lunaire l'amènerait au point de rupture. Soumis à cette influence, les débris se casseraient à leur tour. Au lieu d'une Lune nous aurions... un anneau terrestre, une collection de fragments en orbite autour de notre planète.

Et les anneaux de Saturne ? S'agit-il d'anciens satellites, fracassés et mis en pièces par les forces de marée parce qu'ils se sont aventurés trop près de la planète ? S'agit-il de pierrailles qui, précisément, à cause de cette force, n'ont jamais pu s'agglomérer pour devenir des satellites ? Nul ne le sait. Notons simplement que les anneaux se trouvent surtout près de la planète, alors que les satellites en sont plus éloignés. Il y a une zone intermédiaire où les deux formes coexistent.

Les poussières interplanétaires

On aimerait voir de près ces grains de poussière, en rapporter des échantillons au laboratoire. Notre système solaire en contient de vastes quantités. Leur présence nous est révélée par un phénomène discret : la « lumière zodiacale ». C'est à la tombée de la nuit en mars (ou à l'aube en septembre) qu'on a le plus de chance de voir la lumière zodiacale (fig. 9). À l'horizon, près de l'endroit où le Soleil vient de disparaître, une lueur blanchâtre s'élève

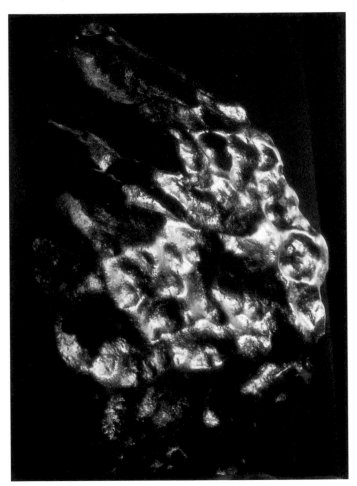

12. Il y a quelques années, cette pierre
gravitait dans l'espace interplanétaire,
quelque part entre Mars et Jupiter.

dans le ciel. Elle est inclinée à l'oblique. Elle retrace à peu près la course du Soleil juste avant le crépuscule. Cette lumière nous apprend qu'aujourd'hui encore le Soleil est entouré d'un disque de poussières. Les rayons solaires s'y réfléchissent avant de nous atteindre. Au siècle dernier, on le voyait beaucoup mieux. Encore une victime de l'éclairage électrique...

Ces particules, qui tombent lentement vers l'astre central, proviennent, semble-t-il, de la désintégration des comètes lointaines. On peut y voir un échantillon authentique du matériau originel de notre système solaire. Mais les glaces se sont vaporisées dans l'espace.

Des avions supersoniques vont à leur rencontre. Dans l'air raréfié, des « filets à papillons » ont cueilli pour nous les grains illustrés sur les figures 10 et 11. Leur étude se poursuit dans des laboratoires spécialisés. Par quels mécanismes physiques les grains de poussière interstellaire se sont-ils agglutinés ? Quelle chimie a cimenté ces briques élémentaires de nos planètes ? À vrai dire, nous en savons très peu de chose. C'est un des chapitres les plus obscurs de notre narration. Il y a sur le « marché » plusieurs théories différentes qui prétendent représenter la réalité. Pour expliquer un phénomène, le nombre de théories compétitives est toujours proportionnel au degré d'ignorance. Le progrès consiste surtout à éliminer les candidats. Si tout se passe bien, on arrive à une *seule* théorie, la plus adaptée au problème.

Quand le Soleil juvénile s'allume, ses rayons ont vite fait de volatiliser les grains les plus intérieurs du disque nébulaire. Plus loin, les matières rocheuses résistent à la chaleur, mais non les glaces qui les recouvrent. La planète la plus interne, Mercure, sera formée de grains dénudés : elle n'aura ni océan ni atmosphère. Plus on s'éloigne du Soleil, plus il fait froid. À des degrés divers, les glaces persistent. Elles joueront un rôle essentiel dans la constitution des atmosphères planétaires.

Des pierres tombées du ciel

Notre système planétaire contient des objets de dimensions très variées, comprises entre celles des poussières qui réfléchissent la lumière solaire et celles de nos planètes géantes quasi stellaires.

La surface de la Terre est continuellement bombardée par des pierres de tailles différentes. Certaines d'entre elles parviennent jusqu'au sol. On les nomme alors « météorites ». On y trouve des blocs de fer (fig. 12). L'homme antique les connaissait bien. Il en faisait des armes et des outils. Ce fut pendant longtemps la seule source de ce métal. Plus tard les forges à haute température ont permis l'utilisation des minerais terrestres. La tradition primitive a laissé sa trace dans le mot « sidérurgie ». Un mot qui vient du grec *sideros*, ciel. Et qu'on retrouve dans le mot français « sidéral ». Dans la même veine, être « sidéré », c'est recevoir le ciel sur la tête...

13. Pour le scientifique, la chute d'une météorite est vraiment un « cadeau du ciel ». Sectionnés à la scie ou à la foreuse, des échantillons sont distribués à divers laboratoires de physique, de chimie ou de minéralogie.

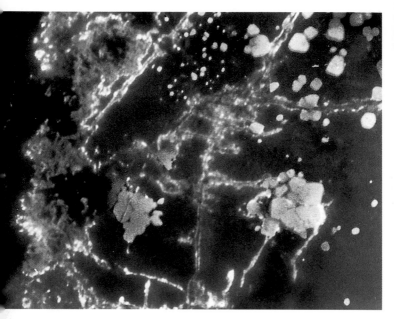

14-15. Chaque météorite porte son message. Pour le lire,
on a coupé la pierre en lames minces, teintées pour l'observation
microscopique. Dans son langage isotopique, le message
de cette météorite nous a appris que le Soleil, comme les étoiles
du Trapèze (chap. IV, fig. 5), est né dans un feu d'artifice
d'explosions de supernovae. Et qu'une boucle comme
celle de Barnard (chap. IV, fig. 2) illuminait le ciel, visible
de la Terre naissante.

D'autres météorites ressemblent à s'y méprendre à de
vulgaires pierres des champs (fig. 13). Il faut l'œil de
l'expert pour les différencier. Certaines se présentent sous
des dehors particulièrement sombres ; on les disait
« charbonneuses », au siècle dernier. Ces pierres
renferment une quantité importante de carbone. L'analyse
chimique y révèle la présence de molécules relativement
complexes, plus complexes que celles de l'espace. On y

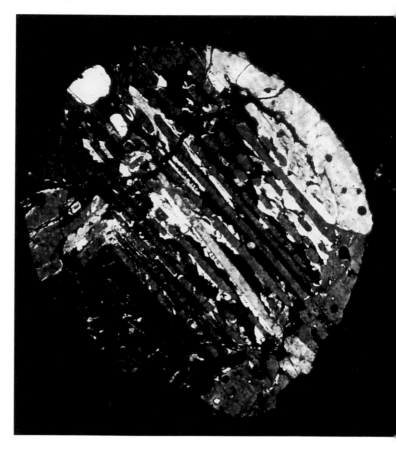

trouve des acides aminés. Ces composés organiques vont jouer un grand rôle dans le déve-loppement des organismes. Y a-t-il eu des êtres vivants sur ces météorites? On ne le croit pas. Il s'agirait plutôt d'une étape assez avancée de l'évolution chimique. Comme dans l'espace, les atomes ont cherché à se combiner en molécules. Ici, vraisemblablement parce que les conditions étaient favorables, ils sont allés plus loin que

16. Un bolide a laissé sa trace lumineuse
dans la nuit obscure. En pénétrant dans
l'atmosphère, il s'est réchauffé par
frottement sur l'air. Volatilisé
partiellement, il a laissé, sur les lieux, une
nuée de poussières. En fin de parcours,
l'échauffement engendre une explosion.

dans les nuages interstellaires. Quelles étaient ces
conditions ? Les météorites sont-elles les débris de
planètes antiques ? On imagine plutôt une collection
d'astéroïdes de petite taille, qui se seraient fracassés les
uns sur les autres. Observation importante : ces météorites
« carbonées » contiennent beaucoup d'eau, incorporée
dans la pierre. Cette eau fut-elle liquide dans un lointain
passé ? Toutes les spéculations sont permises.

Les météorites entrent dans la science

Pour la petite histoire, disons que le monde scientifique a longtemps refusé l'idée des pierres qui tombent du ciel. À la fin du XVIIIe siècle, l'Académie des sciences de Paris en rejetait systématiquement toutes les observations. Sous la pression de cette noble institution, d'importantes collections de météorites furent jetées aux ordures. Replaçons cet événement dans son contexte. La physique, jusque-là, s'était surtout intéressée aux phénomènes de laboratoire, phénomènes qu'on peut répéter à volonté. Les pendules, les réactions chimiques se comportent toujours de la même façon. Avec les chutes de pierres célestes, c'est différent. On est dans le fortuit, dans l'historique. Chaque événement est unique, jamais répété. Il n'y a que des témoignages visuels. Quel crédit leur accorder ? Comment faire la part de l'hallucination et du mensonge ? C'est Biot, physicien français du début du XIXe siècle, qui a résolu le problème. Vers 1802, des rumeurs couraient d'une véritable pluie de pierres célestes dans le département de l'Orne. Des centaines de fragments auraient été recueillis sur un territoire de plusieurs dizaines de kilomètres. Biot s'est rendu sur les lieux. Il a recueilli les spécimens litigieux, interrogé les paysans, comparé les pierres et les témoignages, effectué des recoupements et soumis le tout à une analyse rigoureuse. Une combinaison judicieuse d'arguments psychologiques et minéralogiques l'amena à la seule conclusion raisonnable : il ne s'agissait pas d'invention ou d'hystérie collective. Une chute de pierres célestes avait bel et bien eu lieu.

Ce type d'enquête était, en fait, connu depuis fort longtemps. C'est depuis toujours la méthode de la police, la méthode de la justice. En général, les malfaiteurs se gardent de répéter leur crime. C'est sur un événement unique que le détective doit se pencher. Enquêtes minutieuses, recherches des mobiles, cohérence logique et psychologique sont ses instruments de travail. Le mérite de Biot est d'avoir adapté cette méthode éprouvée à un problème de physique. Aujourd'hui, quand une rumeur de chute météoritique se propage, les scientifiques se précipitent (fig. 12 et 13).

Nous regrettons maintenant les précieuses collections jetées aux ordures. Mais, au fait, pourquoi cet acharnement ? La science naissante fait la chasse aux « superstitions ». On évacue systématiquement ce qui « sent le soufre ». Pour une raison mystérieuse, les savants de l'époque décident que les météorites « sentent le soufre ». Ce n'est ni leur prudence ni leur scepticisme qu'on leur reproche, mais au contraire leur dogmatisme et leur intolérance. Le plus difficile, c'est d'admettre son ignorance et de vivre avec. Il est bon de profiter des faux pas de nos prédécesseurs.

Les pierres qui pénètrent dans notre atmosphère s'échauffent par frottement. Elles laissent derrière elles une traînée lumineuse. Il arrive qu'une petite pierre se volatilise avant de toucher le sol (fig. 16). On parle alors d'une « étoile filante ». Il s'agit de petits gravillons dispersés dans l'espace. La Terre les rencontre sur son passage. Les pluies d'étoiles filantes coïncident avec la traversée, par notre planète, de l'orbite de comètes anciennes. Ces gravillons en sont les débris éparpillés.

Certaines météorites atteignent plusieurs dizaines de mètres de diamètre. Une pierre énorme a creusé le Meteor Crater, dans l'Arizona, il y a environ trente mille ans (fig. 17). Ne manquez pas cette visite si vous en avez l'occasion. Le cratère, d'un kilomètre de diamètre, est impressionnant. Autour du cratère, le sol est soulevé sur une grande étendue. On se croirait sur la Lune.

Le barrage hydroélectrique de la Manicouagan, au Québec, retient les eaux du lac du même nom. Ce lac, en forme d'anneau, occupe le lieu d'un ancien cratère de plusieurs dizaines de kilomètres de diamètre, dans le plateau précambrien. Des arrivées de pierres massives peuvent encore se produire. Il y a quelques années, les habitants de l'Ouest américain ont observé, en plein jour, un objet d'une grande brillance. Des centaines de

17. Par le jeu des collisions, les grains de poussière se sont
rassemblés en gravillons, et les gravillons en bolides plus massifs
encore. Les planètes elles-mêmes doivent leur existence à
l'accumulation de ces bolides sous l'effet de la gravité. Quand
une pierre, en provenance du ciel, frappe une planète, elle liquéfie
le sol. La matière rocheuse gicle à distance et va former
les bords relevés du cratère. Les cicatrices, toujours visibles,
nous rappellent le mode de constitution de la Terre (ici,
le Meteor Crater en Arizona, États-Unis).

personnes l'ont photographié. Grâce à ces documents, on
a pu l'étudier et reconstituer son orbite. Il s'agissait d'une
pierre de plusieurs milliers de tonnes qui s'est approchée
jusqu'à soixante kilomètres du sol. Entrée dans la haute
atmosphère, au sud des États-Unis, elle en est ressortie

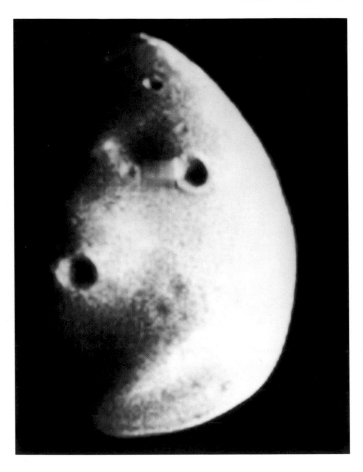

18. Sous l'effet combiné des forces électromagnétique
et gravitationnelle, les corps solides de notre système planétaire
se sont bâtis à partir des poussières interstellaires. La masse
de Deimos – cent mille milliards de tonnes – n'est pas suffisante
pour que sa gravité nivelle ses aspérités et lui impose la forme
sphérique des planètes plus massives, comme la Terre et la Lune.
Des collisions frontales avec d'autres bolides ont imprimé sur
sa surface les cicatrices que nulle érosion ne viendra effacer.

vers la frontière canadienne. Il est difficile d'imaginer les dommages qu'aurait provoqués une orbite un tout petit peu plus basse...

La Lune est criblée de cratères météoritiques. Comparativement, la Terre en montre très peu. L'érosion provoquée par les glaciers, les vents et les mouvements des continents efface continuellement les traces de l'arrivée des météorites sur notre planète.

Nous finirons ce chapitre sur une image de Deimos (fig. 18), un satellite de Mars d'une trentaine de kilomètres de diamètre. Le nombre de grains de poussière accumulés et soudés dans ce corps planétaire de modeste dimension s'élève à cent mille milliards de milliards de milliards. Pour bâtir une planète comme la Terre, il faudra encore assembler l'équivalent de dix millions de Deimos...

Ci-dessus et double page suivante :
1-2. Une boule de lave rougeoyante, tel était vraisemblablement
l'aspect de notre Terre à sa naissance. Des torrents de pierre
fondue déferlaient à sa surface comme dans les cratères
volcaniques d'aujourd'hui. Cette chaleur provenait des multiples
collisions de bolides rocheux sur la planète naissante, ainsi que de
la radioactivité naturelle des pierres. Plus une planète est massive,
plus sa formation dégage d'énergie thermique. Aujourd'hui, notre
Terre n'a pas encore achevé de dissiper dans l'espace sa chaleur
initiale. C'est elle qui anime volcans et tremblements de terre.

Le feu des planètes

Les pages qui précèdent nous ont présenté un échantillon de petits corps solides en course libre dans notre système solaire : poussières, gravillons, météorites de tailles diverses. Le mécanisme par lequel les poussières interstellaires se sont agglutinées pour constituer ces objets nous est encore largement inconnu. La progression ne se fait pas toujours du plus petit au plus gros. Dans certains cas, les petits sont les débris d'objets plus gros, fracassés par des collisions dévastatrices. À ses débuts, le système solaire se présente comme une vaste arène, parcourue par des myriades de pierres de toutes tailles, sur des orbites de toutes dimensions et de toutes orientations. Les bolides se heurtent, se capturent ou se pulvérisent mutuellement. La Nature se livre, encore une fois, au jeu des hasards constructifs, un jeu qu'elle affectionne particulièrement. On le retrouve à tous les niveaux de la complexité cosmique.

Au cours des ères, grâce à la multitude des chocs, certains objets croissent au détriment de leurs voisins. Avec leur masse, leur gravité augmente. Ils attirent vers eux des avalanches de petits corps. Les cratères innombrables qui marquent la surface de Mercure (fig. 4) ou de la Lune (fig. 3) ont gardé la mémoire du mode brutal des élaborations planétaires.

Les collisions libèrent une grande chaleur. Le sol fond. Sous l'impact, la pierre liquéfiée est rejetée au loin. Elle va former le bord du cratère. Plus la planète grossit, plus la chaleur augmente. Elle mène à la fusion plus ou moins complète (fig. 1 et 2). De surcroît, les poussières contiennent des atomes radioactifs issus des supernovae. Ces atomes se désintègrent. Ils ajoutent leur énergie thermique à celle des collisions.

Dans les ères qui suivent, cette chaleur se dissipe dans l'espace. Les petits astéroïdes ne deviendront jamais très chauds. Ils se refroidiront rapidement. En général, ils ne sont pas sphériques, mais de formes irrégulières. Leur chaleur interne n'a jamais suffi à les fondre, les niveler et les arrondir. Pétrifiés pour toujours, ils se contentent d'enregistrer à leur surface la trace des collisions. Dans cette catégorie de corps célestes on peut mettre Deimos (chap. VII, fig. 18) et Phobos, les deux satellites de Mars, Hypérion, un satellite de Saturne, ainsi qu'une multitude d'astéroïdes qui naviguent généralement entre Mars et Jupiter. Hermès, un petit corps d'environ deux kilomètres de diamètre, est venu récemment se promener tout près de nous, plus près que la Lune. Citons encore Éros, un objet de plus de vingt kilomètres, qui se tient loin de la Terre, à près de vingt millions de kilomètres.

Sur notre planète, les plus hautes montagnes n'atteignent pas dix kilomètres. La Terre a six mille kilomètres de rayon. Pourquoi n'y a-t-il pas de montagnes vraiment hautes, disons de cent kilomètres ? Regardez ce qui arrive à une motte de beurre sur une assiette plate par un jour chaud. Elle s'étale par la base. Une montagne très élevée subirait le même sort. Sous l'effet de son propre poids, elle réduirait sa hauteur en s'étalant et en s'enfonçant dans le sol. La pierre n'est pas assez rigide pour résister à une telle gravité. Elle devient plastique et s'écoule. Les planètes de grande taille nivellent rapidement leurs aspérités majeures. C'est pour cela que notre Terre est ronde...

Les grosses planètes
sont les plus actives

La Lune et Mercure ont des dimensions semblables (à peu près deux mille kilomètres de rayon). La chaleur initiale, suffisante pour uniformiser leur géométrie, s'est dissipée dans l'espace en quelques centaines de millions d'années. Depuis, elles présentent le visage aride que nous leur connaissons (fig. 3 et 4). Sur une échelle de masse croissante, nous rencontrons ensuite Mars et la Terre. Notre planète est active. Sa vie intérieure se manifeste par une succession de volcans à l'activité sporadique (fig. 1 et 2). Certains fulminent en permanence. D'autres, qu'on croyait éteints, se réveillent et dévastent des territoires entiers. Témoin le mont Saint-Helen, dans l'Ouest américain. Cette vie se manifeste encore par les tremblements de terre parfois si meurtriers.

À une échelle plus lente, le feu intérieur sépare et rassemble les continents. Regardez un globe terrestre. On dirait presque un puzzle. La partie ouest du continent africain s'emboîte dans le creux de la mer des Antilles. Au moment où les êtres humains apprenaient à domestiquer le feu, l'Europe était plus près de l'Amérique de quarante kilomètres... À notre échelle, ce mouvement paraît lent. À l'échelle de l'âge de la Terre, c'est un ballet frénétique. Les collisions entre continents sont fréquentes et violentes. Elles affectent profondément le relief du terrain. C'est le choc de l'Inde sur la Sibérie qui a soulevé la chaîne de l'Himalaya. Et les Alpes se sont dressées à l'arrivée de l'Italie sur l'Europe.

Quel est le moteur de cette activité ? D'où les volcans, les tremblements de terre, les dérives des continents et les soulèvements de montagnes prennent-ils leur énergie ? De cette chaleur initiale qui a été libérée par le choc des pierres. De cette avalanche minérale qui est responsable de l'existence de notre planète ainsi que de la radioactivité contenue dans ces pierres. Cette chaleur n'en finit pas de se dégager. Elle fait en quelque sorte bouillir les couches rocheuses à l'intérieur de la planète. Comme dans l'eau d'une marmite, des « bulles » de pierre se forment et se déplacent. Lentement, très lentement... Quelquefois, le mouvement « grippe ». Puis il se relâche brusquement. Les Californiens redoutent l'instant où la faille de San Andreas va se « débloquer ».

Le tremblement de terre de Los Angeles, au début de l'année 1994, en a été une manifestation douloureuse.

Mais tout n'est pas négatif dans cette instabilité de la croûte terrestre. L'agitation intérieure de notre planète, toujours active, provoque à la surface ce que nous appelons des variations géologiques qui, à leur tour, amènent des changements climatologiques. Telle région aujourd'hui luxuriante était autrefois désertique ; telle zone auparavant tempérée est maintenant couverte de glaces. Les pôles se déplacent, et avec eux la direction des vents et des courants dominants.

L'activité planétaire accélère l'évolution de la vie

L'altération des climats va jouer un rôle important tout au long de l'évolution biologique. En obligeant la vie végétale et animale à s'adapter à des conditions nouvelles et souvent adverses, les mouvements de la croûte terrestre vont accélérer le développement et le perfectionnement des espèces. Ce sujet fascinant sera repris dans un chapitre ultérieur. Notons simplement que si, comme Mercure et la Lune, notre Terre avait dissipé très tôt sa chaleur initiale, la vie terrestre se serait vraisemblablement développée à un rythme beaucoup plus lent. Le paysan sicilien qui maudit le ventre brûlant de la Terre quand la lave de l'Etna inonde son verger, ignore le fait que, sur une planète inactive, ni ses arbres fruitiers ni lui-même n'auraient vu le jour...

Mars présente un cas intermédiaire entre Mercure et la Terre. Elle est huit fois plus massive que la Lune, mais dix fois moins massive que notre planète. Elle possède quelques rares volcans (fig. 7). Mais quels volcans ! Le plus gros, Nix Olympica, s'élève à vingt-six kilomètres. Ses épanchements de lave recouvriraient les territoires de la Belgique et de la Hollande réunies. Et le canyon du

3-4. La Lune (fig. 3) et Mercure (fig. 4) sont presque des jumelles. Les dimensions sont tout à fait comparables. À leur naissance, elles ont reçu assez de chaleur pour arrondir leur volume. Cette chaleur s'est rapidement dissipée dans l'espace avec les atmosphères qu'elles n'ont pas su retenir. Depuis quatre milliards d'années, elles enregistrent fidèlement, sous forme de cratères, les chutes de météorites sur leur surface. Rien ne vient effacer ces vestiges

Colorado est une rigole par rapport au grand canyon de Mars (chap. IX, fig. 3). Pourquoi ce gigantisme ? Sur Mars, l'évacuation de la chaleur initiale est beaucoup plus avancée que sur la Terre. Le refroidissement a détérioré ce que l'on pourrait appeler le système de « lubrification » de la planète. Les soupapes volcaniques sont trop peu nombreuses. Elles sont surchargées...

La naissance de l'atmosphère

Pour poursuivre notre histoire, il nous faut faire un pas en arrière. Sur les grains de poussière interstellaire, des glaces se sont accumulées. Que deviennent-elles quand les planètes se constituent ? Elles fondent et se volatilisent. Là où la chaleur interne aura liquéfié la pierre, ces gaz resteront prisonniers à l'intérieur des planètes. Comme le gaz carbonique en dissolution dans une bouteille d'eau gazeuse.

Après sa naissance, un astre rocheux irradie lentement sa chaleur dans l'espace. Dans la mer de lave, des croûtes se forment, comme, à l'arrivée de l'hiver, les couches de glace sur les lacs terrestres. Chassés par la solidification, les gaz s'échappent. Le long des failles qui marquent la surface lunaire, des orifices se succèdent par lesquels notre satellite a éjecté les gaz incorporés dans sa masse (chap. IX, fig. 2).

Où iront ces gaz ? S'échapperont-ils au loin pour se perdre dans l'espace ? Resteront-ils prisonniers à la surface de l'astre pour le doter d'une atmosphère ? La réponse dépend de deux facteurs. D'abord, la masse. Un petit corps n'aura pas la gravité requise pour retenir les gaz. C'est le cas des météorites et des astéroïdes. Ensuite, la distance au Soleil, qui conditionne la chaleur solaire reçue par la planète. Mercure, sur ce plan, a reçu la mauvaise part : sa taille est modeste et l'influx de chaleur solaire très élevé. Elle ne gardera pas d'atmosphère.

Vénus (fig. 8), Mars et la Terre ont retenu, au moins

5. La planète Mars, plus petite que la Terre, est en quelque sorte à mi-chemin entre les planètes figées, comme la Lune et Mercure, et les planètes actives, comme la Terre. Elle possède des myriades de cratères, mais aussi des volcans. Sur la photo, le Soleil couchant illumine un panache nuageux accroché au sommet d'un volcan.

6. Sur ce montage de photos prises par satellite,
on voit les cratères se mêler aux montagnes martiennes
jusqu'à l'horizon.

partiellement, les gaz issus de leur sein. Ainsi en est-il de
Titan, satellite de Saturne. Sa dimension est comparable à
celle de notre Lune. Pourtant, contrairement à notre
satellite, Titan possède une atmosphère. Le Soleil trop
lointain lui envoie si peu de chaleur que les gaz ne
peuvent s'évaporer. On soupçonne l'existence d'océans
d'hydro-carbures à la surface de ce satellite.

Les planètes géantes, Jupiter et Saturne (fig. 10, 13 et
14) ont un statut particulier, à la limite entre la planète et
l'étoile. Si elles ne brillent pas, c'est qu'elles sont (tout

7. Un volcan géant à la surface de Mars (Nix Olympica).
(Couleurs codées.)

juste) trop petites. Vraisemblablement, elles possèdent, en
leur centre, un noyau de pierre solide. Au-dessus s'élève
une atmosphère géante, de plusieurs dizaines de milliers
de kilomètres. (Notre atmosphère terrestre atteint tout au
plus cent kilomètres.) Au sommet de cette atmosphère, des
vents violents entraînent des myriades de petits cristaux de
méthane et d'ammoniac. Les courants forment des bandes,
de part et d'autre de l'équateur. Parmi ces bandes circulent
des cyclones titanesques. Le plus connu, la « tache
rouge », sévissait déjà au temps de Galilée (fig. 10).

Il est difficile de croire que les atmosphères de Jupiter et
de Saturne proviennent d'éruptions volcaniques issues de
leurs noyaux rocheux. Les masses gazeuses sont trop
importantes. On pense plutôt que ces planètes se sont
formées directement à partir des poussières et des gaz de
la nébuleuse solaire. C'est ce que confirme l'analyse
chimique de leur surface. Leur composition est très voisine
de celle du Soleil.

De la vie sur les planètes géantes ?

Ces deux planètes possèdent en abondance les éléments chimiques essentiels à la vie terrestre : carbone, azote, oxygène, hydrogène, et aussi soufre et phosphore. On y a détecté des molécules incorporant jusqu'à sept ou huit atomes, dont souvent un de carbone. La haute atmosphère est bien sûr très froide, mais les couches centrales sont sans doute très chaudes. En s'enfonçant, on devrait rencontrer des zones tièdes où des populations moléculaires se combinent et se dissocient. Certains auteurs pensent que ces zones pourraient regorger de molécules complexes, et peut-être d'une forme de vie particulière issue de ces associations moléculaires.

À la lumière de nos connaissances sur le comportement de la matière et sur sa fièvre d'organisation, cela paraît plausible. Les conditions requises sont présentes : éléments chimiques appropriés, température tiède, densité élevée. Pourtant, par rapport à la Terre, deux différences sont à signaler.

D'abord, l'épaisseur de l'atmosphère. De ces couches intérieures tièdes, on ne voit pas le Soleil. Le ciel est opaque et les températures sont uniformes. Notre vie terrestre s'appuie largement sur les écarts de température provoqués par la transparence de notre atmosphère.

Ensuite, la composition chimique de l'atmosphère jovienne : de l'hydrogène en grande majorité. Les chimistes disent que l'atmosphère est « réductrice », comme vraisemblablement d'ailleurs la couche gazeuse de notre Terre initiale. La vie s'y est développée sans pourtant progresser très loin. L'évolution biologique a pris son essor véritable après la transformation de l'atmosphère terrestre, après l'apparition de la couche d'oxygène moléculaire que nous respirons aujourd'hui. Une telle mutation ne peut se produire sur les planètes géantes : il y a beaucoup trop d'hydrogène.

Absence de variations de température, absence d'oxygène moléculaire, cela implique, je crois, que la

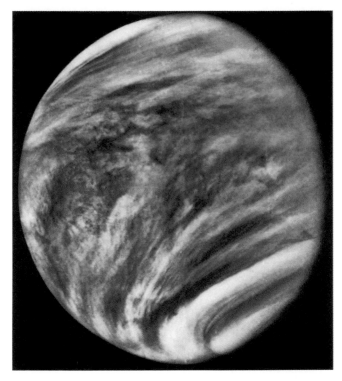

8. Sur plusieurs plans, notre Terre et Vénus se ressemblent. Leurs dimensions sont semblables (à peu près six mille kilomètres de rayon). Leurs distances au Soleil sont comparables. Les deux planètes possèdent une atmosphère gazeuse. Pourtant, les différences sont grandes. L'atmosphère de notre planète est mince. Du ciel, on peut voir le tracé des continents. L'atmosphère parfaitement opaque de Vénus entretient en permanence des cyclones géants à l'échelle planétaire. La Terre est tempérée et possède des océans. Sur Vénus, il fait cinq cents degrés et l'eau est pratiquement absente. Aucune vie n'a pu s'y développer.

Pages suivantes :
8 *bis.* Survol de la planète Vénus, reconstitué à partir de l'analyse des images obtenues par la sonde Magellan.

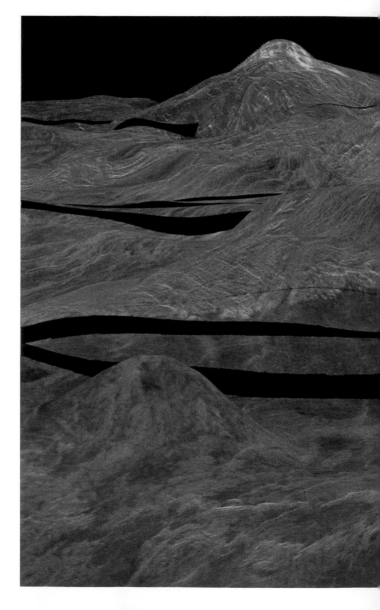

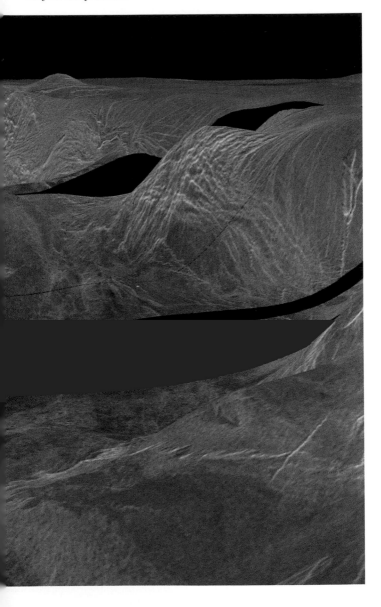

9

vie jovienne et saturnienne, si elle existe, n'est probablement pas très évoluée. Pour Uranus et Neptune, on arriverait vraisemblablement à des conclusions analogues. Mais prudence ! La réalité nous réserve parfois des surprises...

Jupiter fait fulminer Io

Revenons à nos planètes solides. En résumé, plus elles sont massives, plus elles sont nées chaudes et plus elles sont restées longtemps actives. Les astéroïdes, la Lune, Mercure, Mars et la Terre s'inscrivent bien dans cette progression. Pour Vénus, on ne sait pas très bien. Sa masse est très voisine de celle de la Terre. La planète Vénus, quasi-jumelle de la Terre, a été étudiée en grands détails par la sonde *Magellan* au cours des dernières années. Notre connaissance de la surface vénusienne a

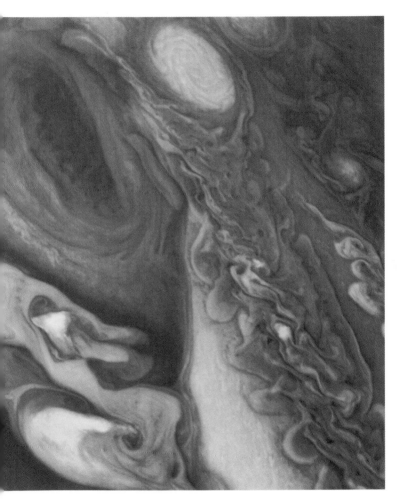

De 9 à 12. Les planètes géantes Jupiter (fig. 10) et Saturne (fig. 13 et 14) sont largement gazeuses. Elles seraient constituées d'un noyau rocheux, entouré d'une immense atmosphère agitée par de perpétuels cyclones. L'ouragan terrestre de la figure 9 rappelle la tache rouge de Jupiter (fig. 10).

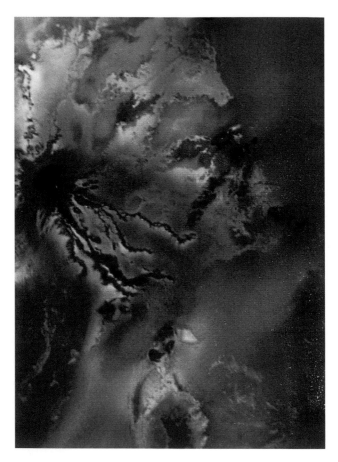

11

11 (ci-dessus), 12 (ci-contre) : Loin d'être tous semblables comme on l'a cru longtemps, les satellites de Jupiter et de Saturne sont des petits mondes personnalisés. Io, avec son coloris rouge, jaune et noir, est sans doute le plus étonnant d'entre eux.

Fig. 11. Un écoulement de lave, vers la plaine.

Fig. 12. Une fontaine de matière sulfureuse s'élève dans le ciel noir.   12

13

fait un bond gigantesque. On y a découvert un sol riche
en manifestations géologiques : volcans, failles, etc.
Preuves que, là aussi, le dégagement de chaleur n'est
pas terminé.

Que dire des satellites de Jupiter et de Saturne ? De
dimensions modestes, ils devraient être depuis
longtemps pétrifiés et criblés de cratères météoritiques.
La majorité de ces corps répondent bien à cette
description, mais pas tous. Regardons par exemple Io,
satellite de Jupiter. Aucun cratère d'impact, mais il
manifeste une activité superficielle ahurissante (fig. 11
et 12). On y a compté simultanément plus de huit
éruptions volcaniques. Loin d'être glacé ou pétrifié, le
sol au coloris bariolé, noir, jaune, rouge, vert, est le
siège de transformations chimiques intenses. Le soufre
et ses composés semblent y jouer un rôle dominant.
Dante n'aurait pu imaginer endroit plus approprié pour y
situer son « enfer ». Quelle est l'énergie motrice qui

14

anime ces déploiements spectaculaires ? Ce n'est pas la chaleur initiale, depuis longtemps dissipée. C'est Jupiter qui est responsable. Avec le concours d'un autre satellite, il provoque à l'intérieur d'Io des mouvements de marée d'une grande puissance. L'énergie mécanique, ainsi libérée, se transforme en un flux de chaleur qui entretient les éruptions de soufre volcaniques à la surface multicolore.

Double page suivante :
15. La surface de Triton, un satellite de Neptune. La glace et le volcanisme y cohabitent.

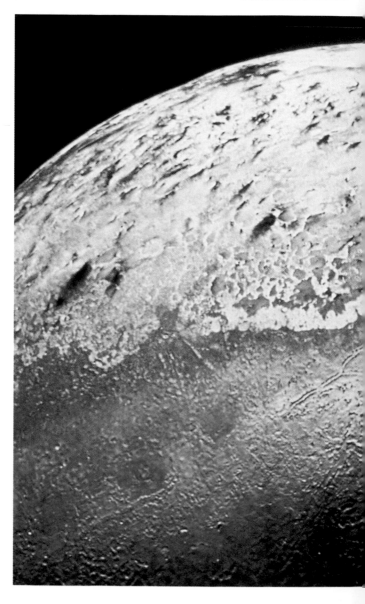

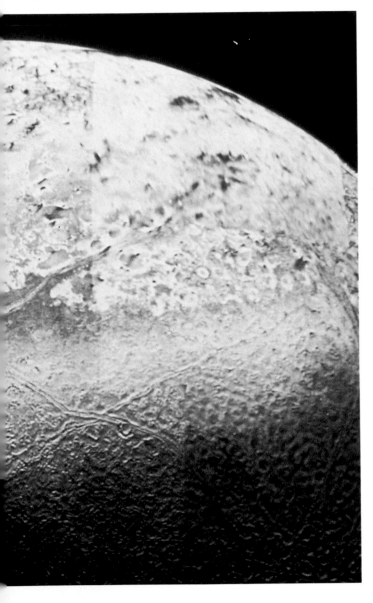

La vie naît dans la mer

Histoire d'eau

Au cours des scènes précédentes, nous avons assisté à la naissance des molécules d'eau dans les lambeaux de matières colorées éjectées des étoiles défuntes. Les atomes d'oxygène engendrés dans le brasier stellaire se joignent aux atomes d'hydrogène pour constituer ces molécules. Celles-ci se fixent ensuite à la surface des grains de poussière interstellaire qui, plus tard, s'agglutineront autour d'une étoile naissante. De cette accumulation naîtront les astres du cortège planétaire.

Pourtant, certaines planètes n'auront pas d'eau. Elles sont trop légères pour retenir les éruptions de vapeur qui accompagnent leur solidification. Sur la Lune (fig. 2), les astronautes ont trouvé une surface aride. Les pierres lunaires apportées au laboratoire ne révèlent aucune trace d'eau, même emprisonnée dans la maille cristalline de la roche.

Mars non plus ne possède pas de nappes d'eau liquide. Cependant certains reliefs rappellent les lits pierreux de nos rivières asséchées (fig. 3). Des ravinements arborescents sur les bords des canyons martiens évoquent ceux de nos massifs escarpés, comme si, dans le passé, des torrents impétueux avaient dévalé leurs pentes abruptes. Cette eau pourrait être aujourd'hui enfermée dans le sol, sous forme de glaces, comme dans le permafrost de nos latitudes polaires. Un peu de sable rouge, étalé sur la planète, suffirait à nous les cacher.

1. Au matin, les rayons solaires volatilisent les rosées givrantes déposées, la nuit, dans les canyons martiens.

2. Comme la Terre, la Lune incorporait à sa naissance de vastes quantités d'eau dans son ventre chaud. C'est par les failles profondes qui marquent le relief lunaire que vraisemblablement la vapeur s'est échappée, au moment de la solidification. La Lune est quatre-vingts fois moins massive que la Terre. Son faible champ de gravité ne lui permet pas de retenir les trombes de substances en ébullition issues de ses innombrables geysers. Si le relief est net, c'est que, sur la Lune, il n'y a ni air ni eau.

Au lever du soleil, les fonds des canyons martiens changent de couleur (fig. 1). Ils passent du blanc à l'ocre. Sans doute s'agit-il d'une mince couche de givre que volatilisent les rayons solaires. C'est la seule forme d'eau que nos instruments nous révèlent.

Le cas de Vénus pose un problème beaucoup plus difficile. Composée presque entièrement de gaz carbonique, l'atmosphère ne contient qu'une infime quantité d'eau. La température à la surface s'élève à plus de cinq cents degrés. Cela exclut toute possibilité de glace ou d'eau liquide. Vénus, indubitablement, contient beaucoup moins d'eau que

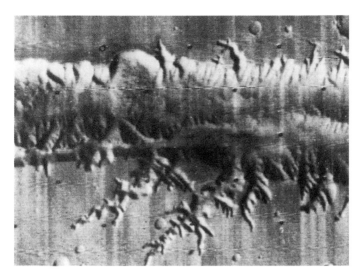

3. L'eau a-t-elle ruisselé autrefois sur les flancs ravinés du Grand Canyon de Mars ?

la Terre. Pourtant, les deux planètes sont comparables et reçoivent à peu près la même quantité de chaleur solaire. Où est donc passée l'eau de Vénus ? Nous n'avons pas d'explication satisfaisante.

Quand on aborde les régions plus éloignées du Soleil, l'eau devient un élément prépondérant. Europe, Ganymède et Callisto (fig. 4), satellites de Jupiter, Encelade (fig. 5), Dioné et Téthys, satellites de Saturne, sont largement composés d'eau glacée. Leur faible densité, leur éclat luisant, tout laisse supposer qu'il s'agit de vastes « antarctiques » à l'échelle du satellite entier. Plus loin encore, les comètes, qui gravitent jusque dans l'espace interstellaire, apparaissent, à l'œil de nos appareils, comme des conglomérats instables de poussières, de gravillons et de glaces, tout comme les neiges des montagnes à la fin de l'hiver. Les gravillons deviennent ensuite nos étoiles filantes, tandis que les poussières cométaires luisent doucement dans la lumière zodiacale des ciels crépusculaires.

La naissance de l'océan bleu

La belle teinte bleue qui distingue aujourd'hui notre planète n'a pas toujours existé. Vue de l'espace, c'est, on le présume, une teinte rouge qu'elle présentait au début, une masse rougeoyante de pierre en fusion, à l'image des paysages incandescents de certains cratères volcaniques (chap. VIII, fig. 1 et 2).

Dégageant sa chaleur dans l'espace, cette immense boule de feu se refroidit lentement. Bientôt, des aires plus sombres apparaissent à sa surface. Des plaques rocheuses se forment et se fracassent sous l'impact des geysers de lave. Les fragments se heurtent et se ressoudent au hasard des collisions. Des continents s'assemblent. La pierre solidifiée libère lentement les gaz qu'elle retenait captifs. Partout s'ouvrent des bouches volcaniques. Des jets tumultueux de lave et de vapeur s'élèvent dans l'espace (fig. 6).

Les laves retombent, mais les vapeurs s'accumulent en nappes nuageuses. À l'image de Vénus aujourd'hui (chap. VIII, fig. 8), la Terre primitive cache ses continents sous un opaque manteau de gaz. Des gouttelettes s'y forment et descendent lentement vers le sol surchauffé. Mais elles s'évaporent en cours de chute et remontent se perdre dans la couche nuageuse. Cette situation dure longtemps. Jusqu'au moment où la pierre refroidie accepte, sans les évaporer, les gouttes d'eau qui tombent du ciel. L'eau chaude s'accumule dans les replis de la pierre. Les mares se joignent pour former des lacs, les lacs, des mers, les mers, des océans. Drainée par des pluies interminables, l'atmosphère devient transparente et révèle à l'espace l'image de notre planète bleue que les photos des fusées spatiales nous ont rendue familière (chap. II, fig. 1).

J'adore l'eau. Une rivière qui coule parmi les arbres, un étang tranquille me réjouissent profondément. Le flux et le reflux des vagues océaniques sur les récifs me transportent et m'apaisent. Mais l'eau quelquefois m'inquiète. J'ai le souvenir d'une tempête dans le golfe du Saint-Laurent. C'est la nuit, il pleut, les bourrasques sont violentes. Les vagues énormes balaient le pont de notre goélette. L'eau est partout. On la voit, on l'entend, on en a plein la figure. Rien d'autre n'existe, mais comme elle a changé... Ce fluide, si près de votre âme dans la campagne au clair de lune, ici vous ignore. D'une vague à peine plus forte, il vous anéantirait. Pourtant, il y a cinq cents millions d'années, nos ancêtres vivaient dans l'eau. « Heureux comme un poisson dans l'eau », dit le langage populaire. Plus tard, leurs descendants, les amphibiens et les reptiles, ont quitté ce milieu accueillant pour chercher d'autres modes de vie. Par là même ils nous ont coupé l'accès à notre milieu primitif. Je ne résiste pas à la tentation d'écrire, d'une façon tout à fait inappropriée, qu'ils ont « coupé les ponts » ou encore qu'ils ont « largué les amarres »...

C'est dans cette substance bénie des dieux que, sur notre Terre, se sont déroulés les premiers chapitres de la complexification cosmique. Nul chimiste n'accepterait de travailler dans un laboratoire dépourvu d'eau. D'autres substances pourraient-elles jouer un rôle analogue ? On s'interroge aujourd'hui au sujet de Titan, satellite de Saturne. Son atmosphère opaque, composée d'azote et de méthane, n'exclut pas la possibilité d'un océan d'hydrocarbures. Carbone, azote, hydrogène ont peut-être donné naissance à des composés intéressants. Mais le froid intense qui règne à cet endroit implique, au mieux, une évolution chimique ralentie. La tiédeur de nos océans terrestres est autrement propice. Revenons donc à notre planète bleue où le déluge universel achève de combler les fosses océaniques. Les pluies portent à l'océan les fruits de la chimie interstellaire : hydrocarbures, formol, alcools, acide cyanhydrique et bien d'autres espèces encore. Encastrées dans les couches de glace des grains de poussière, ces molécules auront suivi le parcours de l'eau pour se retrouver en solution dans l'océan primitif.

La fertilité de l'océan primitif

Cette mer des premiers matins est un des hauts lieux de l'organisation de la matière (fig. 7). Les conditions y sont tellement plus favorables que dans l'espace interstellaire ! L'orbite quasi circulaire de la Terre, à une distance judicieuse du Soleil, assure une température tiède, avec des variations modérées. Dans l'eau, les populations atomiques s'élèvent à plusieurs milliers de milliards de milliards par centimètre cube. Par rapport au vide de l'espace, les rencontres et les associations sont infiniment plus fréquentes. L'océan devient un gigantesque laboratoire de chimie.

Comme dans l'espace, les molécules jouent le grand jeu des dissociations-associations. Les moteurs de cette activité sont nombreux. Entre les nuages, des décharges électriques sillonnent le ciel comme les éclairs de nos orages d'été. Les rayons solaires et cosmiques bombardent l'atmosphère et l'océan. Cassés puis recollés au hasard des rencontres, les fragments s'intègrent en des systèmes moléculaires de plus en plus complexes, de plus en plus sophistiqués (fig. 8).

On a reproduit en laboratoire ces phases de l'évolution chimique. On simule l'océan primitif par un bocal à demi rempli d'eau. On y ajoute des molécules simples : méthane, ammoniac, gaz carbonique (l'atmosphère initiale). On irradie le tout avec un arc électrique (les orages des premiers temps). Après plusieurs jours, l'océan se peuple d'une variété de molécules dites organiques : alcools, sucres, graisses, etc. Il faut apprécier à sa juste valeur l'importance de ces expériences (que nous devons aux chimistes Urey et Miller, et qui ont été maintes fois répétées depuis). Elles illustrent la tendance organisatrice de la matière quand les conditions sont favorables. Plusieurs auteurs défendent l'idée que la vie « vient de l'espace », par exemple des comètes. Après Urey et Miller, cette hypothèse n'a plus tellement d'intérêt. Elle ne fait que repousser le problème, sans le résoudre. Quelle serait l'origine de cette « vie spatiale » ? Comment réunir les conditions idéales ? Pourquoi pas dans « un » océan primitif ? Et pourquoi aller le chercher ailleurs ?

Un peu de chronologie. Le système solaire naît il y a quatre milliards six cents millions d'années. C'est l'âge des météorites et des plus vieilles pierres lunaires. Pour l'accumulation des matériaux de notre Terre jusqu'à son volume présent, il faut compter encore plusieurs dizaines de millions d'années. Par ailleurs, on observe des traces de bactéries et d'algues bleues qui datent de trois milliards huit cents millions d'années. Faisons le compte : moins de sept cents millions d'années ont suffi pour que, par le jeu des réactions chimiques, dans la mer primitive, la nature passe des molécules simples issues de l'espace aux molécules extraordinairement complexes : protéines, bases nucléiques, ADN. Ces structures géantes qui architecturent le végétal et l'animal regroupent quelquefois plus d'un million d'atomes, chacun à sa place dans une géométrie d'une complexité ahurissante (fig. 9 et 10).

Ce chapitre porte le nom d'*évolution chimique* (ou encore d'évolution prébiotique, pour rappeler qu'il mène à l'évolution biologique). On commence aujourd'hui à dégager les grandes étapes et les moments forts de cette merveilleuse épopée. L'espace architectural, les notions de surface et de volume y jouent un rôle de premier plan. Les atomes se disposent en chaînes munies de ramifications diverses. Des replis, des boucles se forment, qui provoquent des contacts multiples et des jonctions à plusieurs niveaux. Des surfaces tissées d'atomes se referment sur elles-mêmes. Les volumes ainsi englobés acquièrent des propriétés autonomes qui les dissocient, les isolent et les distinguent de la soupe océanique dans laquelle ils baignent.

Ainsi se forment les premières cellules. Elles sont constituées de milliers, voire de millions de molécules géantes qui se sont en quelque sorte fédérées (chap. X, fig. 1). Chacune apporte ses propriétés spécifiques au service de la communauté. Certaines savent accumuler de l'énergie solaire. D'autres distribuent cette énergie aux différents membres. D'autres enfin, insérées dans la membrane, servent de filtre pour éloigner les intrus et rejeter les déchets.

Le coureur de Marathon

Les organismes vivants ne sont pas simplement des systèmes composés d'un grand nombre de particules. Il y a quelque chose de plus. On le saisira en comparant les êtres vivants aux noyaux et aux atomes. Un noyau est défini par la somme de ses constituants. Mettons dans un volume délimité six protons et six neutrons, on aura un noyau de carbone. Enlevons un seul proton et ce n'est plus un noyau de carbone (c'est un noyau de bore). Un atome ne se « nourrit » pas. Dès sa naissance, il a reçu toute la matière dont il a besoin pour jouer son rôle.

Mais nous pouvons perdre nos cheveux et même nos membres sans changer d'identité. En fait, nous devons *échanger* de la matière avec l'extérieur pour la garder. Notre corps est le lieu de passage d'un grand nombre

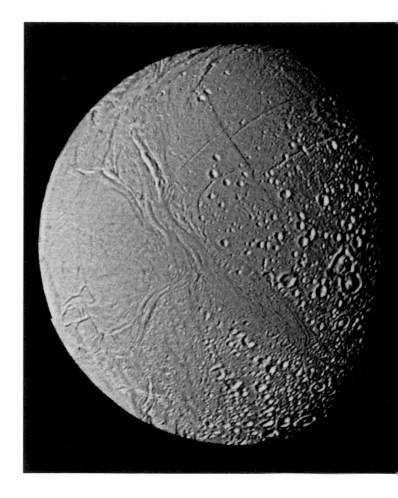

4 et 5. Callisto (fig. 4) : un « antarctique » à l'échelle de la planète.
Un sol recouvert d'une épaisse couche de glace que les impacts
météoritiques font reluire au Soleil. Comme la majorité des
satellites joviens et saturniens, Callisto et Encelade (fig. 5) sont
surtout constitués d'eau solidifiée par le froid. Sans chaleur, sans
liquide, la vie a peu de chance de s'y développer.

d'atomes en transit. Continuellement, des molécules nous arrivent par le nez, la bouche. Elles parviennent aux cellules internes où elles remplacent d'autres molécules rapidement évacuées par les voies naturelles. Aucune particule n'est indispensable. Très peu nous accompagnent tout au long de notre existence. Beaucoup résident le temps d'accomplir leurs fonctions : transporter l'énergie, prêter leur concours à une opération complexe. L'oxygène moléculaire de la respiration, délesté de son potentiel énergétique, repart sous forme de gaz carbonique. Son apport est pris en charge par de multiples organismes responsables des fonctions vitales. La mort, c'est l'arrêt des échanges avec le monde extérieur. Comme le noyau atomique, l'animal mort n'est plus que la somme des particules qui le constituent.

Chauffons une pierre puis abandonnons-la à elle-même. Elle se refroidit et regagne la température ambiante. Elle cherche à mettre fin au déséquilibre entre sa température et l'extérieur. Un être vivant, au contraire, *maintient ce déséquilibre* qu'il n'abandonnera qu'à la mort. Comme un coureur penché vers l'avant, qui doit toujours courir pour ne pas tomber, la multitude de fonctions vitales a pour but et pour effet de perpétuer les déséquilibres de la vie.

Double page précédente :
6. Des torrents de vapeur d'eau émergent des entrailles de la Terre par la bouche des volcans. Cette éruption nous montre comment les molécules d'eau, nées dans les débris d'étoiles explosées, déposées sur les grains de poussière interstellaire, enfermées dans la masse des planètes rocheuses en formation, sont ensuite éjectées dans l'espace où elles se concentrent en nuages.
À cause de sa grande masse, la Terre a su attirer, retenir et conserver cette précieuse substance. La Lune et Mercure (chap. VIII, fig. 3 et 4) n'ont pas su en faire autant. Retombée en pluie diluvienne, l'eau s'est assemblée dans les dépressions de la croûte terrestre pour former les lacs et les océans.
Grâce à la tiédeur du climat terrestre, l'eau est restée liquide. Sur Callisto, elle s'est solidifiée (fig. 4).

7. La mer des premiers jours ne contient aucun poisson, aucune
plante, aucun animal, même microscopique. Pourtant, la vie est
déjà là, à l'état de promesse. Grâce aux rayons solaires, aux éclairs
et aux rayons cosmiques, elle va apparaître, spontanément,
au cours des milliards d'années. « Chaque atome de silence est
la chance d'un fruit mûr. » Dans la nappe océanique, la sarabande
des molécules, cassées puis rapiécées au hasard des collisions,
aboutira inexorablement à l'avènement de substances inédites
douées de propriétés étonnantes. La matière, ici, explore
sur un registre nouveau la puissance et la diversité
de ses propres capacités.

Pourrons-nous, un jour, créer des êtres vivants ? À partir d'atomes de carbone, d'azote, d'oxygène, pourra-t-on assembler, par exemple, un chat dans un laboratoire ? Aujourd'hui, nous en sommes bien incapables. Mais plus tard ? Dans un lointain avenir ? La science progresse rapidement. Rien n'est impossible *a priori*. Mais rien ne nous oblige à attendre si longtemps. Il y a une recette qui marche à tout coup : la rencontre d'une chatte en chaleur et d'un matou du coin. Le petit chat recevra à sa naissance, en plus des molécules qui le constituent, ces états de déséquilibre qu'il lui faudra perpétuer et transmettre à ses petits. États de déséquilibre que ses parents ont reçus eux-mêmes de leur longue lignée d'ancêtres, à l'image de l'athlète grec, inspiré par le coureur de Marathon, qui recevait et passait à son successeur la torche de la flamme olympique. Le « feu du déséquilibre vital » a été allumé quelque part, pendant l'évolution prébiotique, avant la naissance des premières cellules de l'océan primitif. Pour engendrer des êtres vivants en laboratoire, il faudra recréer artificiellement ces déséquilibres.

Notre Soleil nous abreuve de lumière jaune. La Terre absorbe cette énergie puis la renvoie dans l'espace sous forme de rayonnement infrarouge (invisible à l'œil nu, mais détectable avec un télescope approprié). Cette différence de couleur entre la lumière reçue (jaune) et le rayonnement émis (infrarouge) est *le déséquilibre fondamental* qui amorce et maintient tous les phénomènes vitaux de notre planète. Il donne naissance à une chaîne complexe de déséquilibres appuyés les uns sur les autres. C'est par le mariage du Soleil chaud et de la Terre plus froide que la vie a été engendrée.

Ce mariage a bien d'autres enfants. Les phénomènes animés par ce déséquilibre existent au-delà de la sphère du vivant. Les vents, les courants marins, le Gulf Stream en sont des exemples. Le mistral ne se réduit pas aux molécules d'air qu'il entraîne. Les courants marins transportent aux pôles la chaleur absorbée dans les régions équatoriales. Le déséquilibre est maintenu par la différence de rayonnement solaire reçue dans ces zones terrestres. L'état d'équilibre, ici, signifierait l'arrêt des vents et des courants. Nous en sommes loin. Le déséquilibre se perpétuera aussi longtemps que le Soleil éclairera la Terre.

Les hasards de la chimie

La vie animale et végétale repose sur l'existence de molécules géantes. C'est-à-dire sur le fait que de tels édifices soient stables. Les réactions chimiques de l'océan primitif n'auraient jamais amené la formation de structures complexes si les forces naturelles n'étaient pas *en mesure* de cimenter des édifices de millions d'atomes en des configurations à la fois fermes, souples et délicates. Les progrès de la physique suggèrent que ces forces finement ajustées ont acquis leurs propriétés aux premiers instants de l'univers. C'est là, en définitive, que les jeux se sont faits ; c'est jusque-là qu'il faut retracer le « miracle de la vie ». Ce miracle, ce n'est pas que la vie *soit apparue* sur la Terre, c'est qu'elle *ait pu apparaître* sur la Terre...

Il est intéressant de commenter le rôle du hasard dans ces événements prébiotiques. On oppose souvent le hasard à la planification. Dans notre vie courante, ces deux notions sont généralement incompatibles. Celui qui veut réaliser correctement un projet n'en laisse aucune étape se « passer » au hasard. Mais les voies de la Nature ne sont pas nécessairement les voies de l'intelligence humaine. Reprenons place devant l'océan primitif simulé dans le bocal des chimistes Urey et Miller. Voici, au départ, des molécules simples d'eau, de méthane et d'ammoniac. Et voici les décharges électriques. Les électrons, comme les rayons cosmiques, frappent au hasard. Dans le « tas », comme on dit. Dissociations et associations de fragments se poursuivent sans ordre, d'une façon erratique. Pourtant, le résultat sera toujours à peu près le même. Parmi *des myriades* de petites espèces chimiques, on trouvera

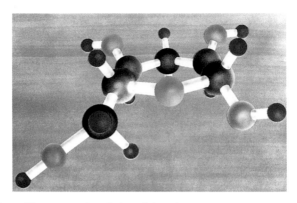

8. Associés en une géométrie précise, des atomes
de carbone (gris), d'oxygène (bleu) et d'hydrogène (rouge) forment
une molécule de sucre. Cette substance, douée de propriétés
familières, apparaît pour la première fois dans l'immense
laboratoire de chimie que constitue l'océan primitif. Ici,
la force électromagnétique domine les jeux de la matière.
Sous son influence, des structures chimiques de plus
en plus imposantes vont s'élaborer et prendre leur place
dans l'échelle de la complexité cosmique.

quelques molécules de dimensions importantes. Des sucres,
des graisses, des acides aminés, avec leurs propriétés
spécifiques, molécules qui joueront ensuite un rôle crucial
dans l'évolution biologique. Grâce au hasard, le liquide a
gagné de la fertilité.

On pourrait atteindre ce résultat d'une façon plus efficace,
plus économique. Un chimiste qualifié s'y prendrait
autrement. Mais c'est le mode d'opération de la Mère
Nature. Et le chimiste aurait tort de se vanter de sa
supériorité. D'où lui vient-elle, après tout, cette supériorité,
sinon des réactions erratiques de l'océan primitif dont il est
lui-même le descendant lointain ?

10. Ces dessins abstraits illustrent le déploiement des chaînes
d'ADN d'un virus éventré.

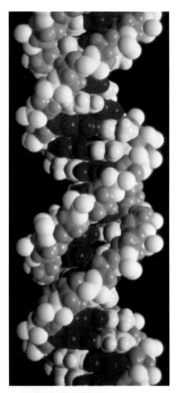

9. L'avènement de ce prodigieux édifice moléculaire dans la tiédeur de l'océan primitif représente un des hauts moments de l'histoire de l'univers. Un point fort dans l'odyssée de la matière qui s'organise. Au long de ces filaments interminables, plusieurs millions d'atomes se sont agencés, chacun à sa place, selon un ordre décrit par la maquette. C'est la double hélice de l'ADN. Cette molécule sait se reproduire elle-même. Elle sait aussi stocker de l'information. L'acquisition de ces propriétés ouvre la voie à l'évolution animale, jusqu'à l'apparition de la conscience.

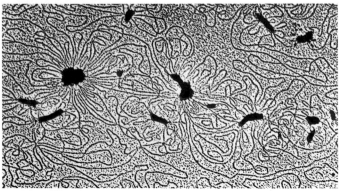

Le casino de la vie

Pour grimper l'échelle de l'évolution biologique, la Nature a plusieurs cartes dans son jeu. Elles ne sont pas toutes bonnes, certaines seront écartées. D'autres feront merveille. Elles accéléreront prodigieusement le rythme de l'ascension vers les hauts sommets de la performance et l'accès à la conscience. Ce chapitre illustre une idée chère à François Jacob : la Nature joue « le jeu des possibles ».

La Nature joue la carte de la mort

Prenons une goutte d'eau dans un vase de fleurs. Regardons-la au microscope. Elle foisonne de petites cellules gélatineuses qui se déplacent par mouvements saccadés. C'est l'image de la vie dans la mer primitive (fig. 1).

À notre échelle, ces cellules sont minuscules. Mais elles sont gigantesques à l'échelle des atomes. Il y a plus de molécules dans une seule cellule que d'hommes sur la Terre. Chaque molécule joue son rôle dans l'économie de la vie cellulaire. Nous sommes ici dans une usine bourdonnante d'activité. Il y a un service d'arrivée des matières premières. Il y a des chaînes de montage où les matériaux sont assemblés. Il y a un coffre-fort où précieusement sont conservés les plans qui spécifient les modes d'assemblage. Des messagers font la navette entre les différents secteurs et transmettent les informations. Un service de voirie éjecte les déchets hors de la membrane cellulaire. Des équipes d'inspecteurs spécialisés supervisent en permanence le cours de ces opérations. Voilà ce que renferment ces masses transparentes, si petites qu'il faut un microscope pour les observer.

Page précédente :
1. Pendant plusieurs milliards d'années, la Terre a été peuplée
exclusivement de petits animaux microscopiques. Ceux-ci ne sont
pas visibles à l'œil nu. Ils vivent en abondance dans les eaux
stagnantes. Ils sont petits... à notre échelle. À l'échelle atomique,
ce sont des structures gigantesques : le nombre d'atomes en
chacun d'eux se mesure en millions de milliards : carbone, azote,
oxygène, hydrogène, etc., engendrés dans des étoiles maintenant
défuntes. Ces délicates structures vivantes sont plus que la somme
des molécules qui les composent. Elles ont acquis une propriété
qui n'existe pas dans le monde des nucléons et des atomes : elles
peuvent mourir. Leur existence n'est pas automatiquement assurée
par l'ensemble des forces physiques qui les lient. Pour vivre, elles
doivent sans cesse échanger des particules avec le monde
extérieur. Les atomes et les photons qui entrent et sortent de leur
membrane ont pour but de les maintenir en état de « déséquilibre »
avec le milieu ambiant. Quand cette circulation s'arrêtera, l'état
d'équilibre reviendra. Elles seront mortes...

2. La mort est un puissant moteur de l'organisation de la matière.
Les organismes vivants sont vulnérables. Il leur faut se nourrir

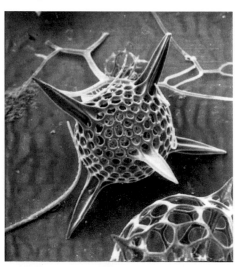

et se défendre.
Certaines
propriétés de
la matière
seront primées
si elles apportent
protection et
capacité de
survivre.
La structure
rigide de
ces petits
animaux fossiles
(des radiolaires)
leur a sans
doute assuré
de nombreux
avantages.

Ce n'est pas tout. En plus de pourvoir à ses propres besoins, la cellule sait aussi comment se reproduire. Les instructions requises sont inscrites dans le coffre-fort. Toutes les vingt minutes environ, la cellule se divise en deux. Chaque moitié se complète elle-même, en utilisant les matériaux du milieu ambiant. Vingt minutes plus tard, le tout recommence... *Ad infinitum ?* Évidemment non. Il faut de la matière première pour compléter les moitiés. Il en faut aussi pour nourrir la cellule tout au long de sa vie. Se pose le problème de l'approvisionnement. Si grand que soit l'océan, un jour, fatalement, la nourriture vient à manquer. Ici émergent le *besoin* et la *compétition.* Les noyaux, les atomes, les molécules simples n'ont pas de besoin. Ils existent, et c'est tout. Les systèmes complexes sont fragiles et vulnérables. Il faut les protéger. Les changements de température peuvent les éliminer. La vie, presque à sa naissance, est jetée hors du paradis terrestre. Finie l'époque de l'abondance sans limites. Fini le confort garanti. Survivent ceux qui possèdent les moyens de trouver leur nourriture et de s'adapter aux changements.

Alors, certaines propriétés deviennent des avantages. Seront favorisés ceux qui les possèdent. Il vaut mieux se déplacer vite que lentement. Avoir une carapace protectrice. Percevoir son entourage, le voir, l'entendre, le sentir, pour distinguer la proie de l'ennemi.

Pourquoi les Soudanais sont-ils noirs ?

Plusieurs siècles avant Jésus-Christ, l'historien Hérodote s'interrogeait sur le climat du Soudan, qu'il n'avait jamais visité. « À mon avis, disait-il, il doit y faire très chaud. On me dit que les habitants sont noirs. » Cette anecdote illustre une conviction très ancienne et très largement répandue : les caractères physiques seraient provoqués par des conditions naturelles. Les populations des régions tropicales seraient noires à cause de la chaleur. Il y aurait là un effet qui répondrait à une cause. Et cet effet serait ensuite transmis aux enfants. Cette vision n'est pas totalement fausse. La réalité est un peu plus complexe. Elle fait intervenir le hasard. Mais d'une façon assez particulière, que je vais tenter d'illustrer maintenant.

Les instructions qui gouvernent la vie et la reproduction des êtres vivants sont inscrites dans le noyau des cellules. Cette inscription se fait au moyen d'un alphabet particulier, composé de quatre éléments, A, C, G et T. Chaque lettre est une molécule complexe, appelée base nucléique. Pour faire un mot, on met ces molécules bout à bout comme les chaînons d'une chaîne. C'est l'ADN (chap. IX, fig. 9). Chaque séquence peut contenir des centaines de lettres, chacune à sa place, selon un ordre prédéterminé. L'ensemble de ces instructions forme le patrimoine génétique. Changer l'ordre d'une séquence correspond à modifier l'instruction correspondante. Les yeux seront bleus ou bruns. La peau sera blanche, jaune, rouge ou noire. Les cheveux lisses ou crépus, etc.

Or, il arrive que, dans le courant de l'existence, ces séquences soient altérées. Comment ? Par des rayons cosmiques en provenance de l'espace, par exemple. Les voici de nouveau à l'œuvre. Disons tout de suite que nous en recevons très peu sur la Terre. La grande majorité de ceux qui approchent notre planète sont refoulés par le champ magnétique terrestre, ou bloqués par notre atmosphère. Quelques-uns, quand même, parviennent jusqu'à nous. S'ils frappent la séquence d'ADN d'une cellule animale, ils peuvent l'altérer considérablement. Par exemple, en l'amenant à se replier sur elle-même, créant ainsi des nœuds ou des boucles imprévus.

À première vue, ce n'est pas très différent de ce qui se passait dans l'océan primitif. Sous l'impact de collisions analogues, des molécules nouvelles se formaient à partir de fragments. Mais attention ! Les molécules maintenant forment un langage. Altérer la séquence, c'est aussi altérer l'instruction que formule la chaîne. Le hasard, ici, n'agit pas seulement sur la structure, mais aussi sur les fonctions des êtres vivants. Et par là, dans certains cas, sur les propriétés mêmes de ces organismes. On parle ici d'une « mutation génétique ».

3. L'harmonie des sphères se propage jusqu'au niveau des êtres vivants.

Les rayons cosmiques et les poissons frileux

Voici une colonie de poissons qui vit dans une mare d'eau tiède. Pour une raison quelconque, variation climatique ou autre, l'eau, lentement, se refroidit. Chacun souffre de ce refroidissement. Les petits en particulier résistent mal. Peu d'entre eux parviennent à l'âge de la reproduction. La race entière est menacée d'extermination. Mais il y a les rayons cosmiques. Ils induisent continuellement toute une gamme de mutations. Certaines de ces mutations ont pour effet d'altérer la résistance au froid, soit en l'augmentant, soit en la diminuant. Au hasard. À cause du refroidissement de l'eau, le premier cas devient *favorable* et le second *défavorable*. Les hôtes d'une mutation favorable auront la vie plus facile. Ils arriveront plus nombreux à se reproduire. Ainsi, leur lignée entière va s'accroître, tandis que leurs confrères moins favorisés vont s'éteindre lentement. Bientôt, la mare ne sera plus habitée que par les heureux descendants de la mutation bénéfique.

Comme Hérodote à propos des Nègres du Soudan, on pourrait penser que c'est la diminution de la chaleur de l'eau qui a eu pour effet l'accroissement de la résistance des poissons. Oui, mais en passant par le jeu du hasard.

L'élément clé, ici, c'est la *mort.* Contrairement aux atomes, les organismes vivants sont mortels. Se pose pour eux le problème de rester en vie, qui attache des valeurs bénéfiques ou maléfiques à des événements provoqués par des acteurs neutres et inconscients : les rayons cosmiques. Parce qu'ils sont mortels, les animaux évoluent et se perfectionnent. Les atomes, immortels, sont figés pour l'éternité.

L'exemple des poissons frileux illustre la notion de sélection naturelle. Elle date de la fin du siècle dernier. Darwin connaissait les techniques des fermes d'élevage. En accouplant des chiens doués pour la chasse, on obtient des sujets plus habiles encore. C'est la sélection artificielle.

L'observation montre que la Nature opère sa propre sélection. Mais comment ? Réponse des biologistes : par le jeu des mutations au hasard, sous la contrainte de la mortalité. Voilà le moteur de l'évolution des vivants, de la cellule à l'être humain. Pour réaliser les potentialités de la matière, la Nature, une fois de plus, fait appel au hasard. Mais d'une façon bien plus économique que dans l'espace interstellaire ou dans l'océan primitif. Grâce au filtre des avantages adaptatifs. Grâce à la mort*.

---

* Ici, je présente la thèse généralement acceptée chez les biologistes. Tous, cependant, ne sont pas entièrement d'accord. Pour une bonne discussion et une bonne présentation d'un point de vue légèrement différent, voir Jean Piaget, *Le Comportement, moteur de l'évolution.*

S'associer pour survivre : le mythe de Gaïa

Dans la mer initiale, la mort a fait son apparition. Son spectre menace les cellules sans défense et affamées. Fidèle à ses vieilles recettes, la Nature imagine d'associer les cellules. De leur fédération naîtront des êtres plus efficaces, plus adaptés aux nouvelles conditions (fig. 4 et 5). Les algues et les méduses de nos océans tièdes ont compris, les premières, que l'union fait la force. Dans le nouvel organisme, les cellules se transforment et se différencient. Selon leurs positions et leurs formes, elles prendront en charge les multiples opérations nécessaires au maintien de la vie et de la survie.

À l'autre extrémité de l'échelle biologique, nous sommes, comme les algues et les méduses, des agrégats de cellules. Il en faut plus de mille milliards pour faire un homme. Chacune d'entre elles possède toutes les instructions requises pour notre existence. Mais un rôle spécifique lui a été assigné : elle n'effectue qu'une fraction infime des opérations dont elle a le secret. Elle s'est *spécialisée*. Elle est devenue globule blanc pour veiller à la pureté du sang. Ou neurone pour transmettre les messages reçus par les sens. Ou encore, imbriquée dans le tissu de la peau, elle a pour mission de nous isoler des froids extérieurs.

Nos méduses primitives sont gélatineuses. Comment se défendre contre les prédateurs ? Certaines de leurs cellules vont sécréter des substances toxiques. La mutation qui dotera les méduses de ces propriétés sera favorisée et retenue. Gare à vous si vous y touchez ! D'autres organismes s'en tireront autrement. Par exemple, en s'entourant d'un bouclier protecteur. Durcissons quelques cellules superficielles. Comment ? Il faut attendre la bonne mutation. Avec le temps et la patience, on arrive à tout. Bientôt apparaîtra une collection de mollusques variés. L'oursin ira plus loin. Il inventera de barder sa carapace avec des pointes acérées. Attention à vos orteils... La vitesse sera primée. Elle sera assurée par l'apparition du squelette. Une structure, rigide et souple à la fois, permet la mobilité. De là naîtront les poissons, petits et grands.

Notons en passant que, dans la nature, il y a de la place pour tout le monde. Il y a toujours des cellules individuelles : paramécies, protozoaires. Il y a toujours des oursins et des méduses. L'apparition de formes animales mieux adaptées n'élimine pas forcément les précédentes. On assiste à une diversification des possibilités... Il y a mille façons de vivre ou de survivre. Les biologistes parlent ici de « niches écologiques ». Il y a la niche de la méduse, celle de l'oursin, etc. Ces animaux coexistent depuis des centaines de millions d'années, avec toutes les formes animales apparues depuis. Les rayons cosmiques bombardent toujours les molécules d'ADN. À la grande roulette de ce casino cosmique, des numéros inédits apparaissent sans cesse. Le jeu consiste ensuite à tester ces combinaisons. Peuvent-elles « faire leur trou » ? Peuvent-elles s'y débrouiller avec leur descendance, en minimisant les heurts et les confrontations ? Si oui, elles vivront ; si non, elles s'éteindront.

À nouveau l'activité planétaire

On peut se demander pourquoi certaines espèces, comme par exemple les méduses et les oursins, sont demeurées elles-mêmes, pratiquement sans aucun changement pendant des centaines de millions d'années, alors que les mammifères, au contraire, évoluent, se complexifient et se perfectionnent à un rythme ahurissant. Pensez au passage du primate simien à l'être humain en trente millions d'années*. Les spécialistes s'accordent à voir ici la pression des conditions de vie. Un être adapté à un milieu n'est pas obligé d'évoluer pour survivre. Au fond des mers, l'ambiance ne change guère. La température, la

* Yves Coppens, *Le Singe, l'Afrique et l'Homme.*

pression, la salinité sont stables. Une fois en harmonie avec son milieu, l'oursin le restera indéfiniment. Dans ses gènes, des mutations vont continuer à s'inscrire. Mais elles ne présenteront aucun avantage adaptatif. Les enfants identiques à leurs parents seront les plus favorisés.

Sur les continents, la situation est différente. Quand l'Inde s'est déplacée des régions antarctiques jusqu'au ventre tropical de l'Asie, la mousson tiède a remplacé les tempêtes de neige. Quand l'Europe s'est couverte de glaces, les arbres fruitiers ont cédé la place aux conifères. La sélection se fait alors « naturellement » sur les organismes capables de s'adapter au changement, c'est-à-dire ceux qui jouissent de l'effet bénéfique d'une mutation appropriée, héritée de leur ascendance.

Ce rôle primordial des phénomènes géologiques dans l'évolution de la vie a été mentionné dans un chapitre précédent. L'existence de ces phénomènes a été reliée au fait que, grâce à sa grande masse, la Terre, après quatre milliards six cents millions d'années, n'a pas encore fini de dissiper dans l'espace la chaleur accumulée au moment de sa formation. Ce dégagement provoque les courants du magma interne qui, à leur tour, animent les volcans, les tremblements de terre et les déplacements de continents. Une Terre plus petite aurait perdu son atmosphère et son océan. Elle aurait épuisé son flux de chaleur interne. Elle aurait éteint son feu central.

La vie transforme la biosphère

En parallèle avec la vie animale, la branche des végétaux s'est développée. Les plantes transforment les matériaux inertes en matériaux vivants. Elles combinent trois éléments : l'eau, le gaz carbonique et la lumière. Elles en font du sucre et rejettent de l'oxygène. Au départ, notre atmosphère terrestre était vraisemblablement constituée de gaz carbonique, comme aujourd'hui celles de Vénus et Mars. La prolifération des algues marines a joué un rôle

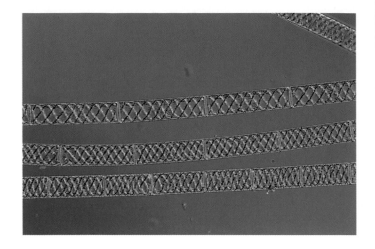

4-5. Les tiges de ces plantes aquatiques sont constituées de cellules disposées bout à bout. Chaque petit rectangle vert est une cellule individuelle, enfermant un noyau et son ADN. En s'associant, elles engendrent un être nouveau doué de possibilités supérieures, mieux adapté aux exigences de la compétition et de la survie.

Nous reconnaissons là, à un échelon élevé de l'organisation matérielle, l'une des recettes favorites de la Nature. Elle regroupe des unités semblables, ici les cellules, pour accéder à un niveau d'efficacité encore inédit. Une fois de plus, elle se livre à l'exploration des potentialités merveilleuses de la purée initiale.

fondamental, à l'échelle de la planète entière. Les molécules d'oxygène (l'association de deux atomes d'oxygène) libérées par la respiration se sont propagées dans l'environnement, jusqu'à plusieurs dizaines de kilomètres de hauteur. Cassées par les rayons ultraviolets (UV) du Soleil, en haute altitude, certaines d'entre elles se sont reconstituées pour former de l'ozone (l'association de trois atomes d'oxygène). De là vient notre « couche d'ozone », à une cinquantaine de kilomètres au-dessus du sol. Cette

couche filtre les rayons UV solaires. L'effet stérilisant de ces rayonnements avait jusque-là bloqué tout développement biologique sur les continents. Les plantes et les animaux étaient restés confinés dans la mer. Maintenant, les terres deviennent habitables. De nouveaux domaines s'ouvrent aux êtres vivants.

Ce passage d'une atmosphère de gaz carbonique à une atmosphère d'oxygène est une étape majeure du développement de la vie terrestre. Il faut d'abord s'y

6. Des yeux pour voir, des branchies pour respirer, des nageoires pour se déplacer parmi les plantes aquatiques.
Des millions de cellules se sont assemblées pour former ce petit têtard de triton. Chacune a sa place, chacune a son rôle déterminé par sa forme et sa position.

adapter. Il faut développer un mode de respiration approprié à la nouvelle situation. Par le jeu des mutations et de la sélection naturelle, on y arrive assez rapidement. On a toute raison de s'en réjouir. L'efficacité des fonctions vitales est grandement améliorée. Avec cette transformation de larges avenues s'ouvrent à la progression de la complexité cosmique.

Arrêtons-nous un moment sur cet événement remarquable. La vie altère la biosphère entière. Cette altération augmente la qualité des performances de la vie. Aujourd'hui, les molécules de notre atmosphère ont circulé plusieurs fois au sein des cellules végétales et animales, modifiant ainsi la physionomie de la planète. Les atomes, à la surface de la Terre, sont associés en une sorte de superorganisme vivant. Inspirés par cette image, certains auteurs (Dubos dans *Les Célébrations de la vie*, Lovelace dans *Gaïa*) ont fait revivre le mythe de Gaïa, la déesse grecque de la Terre. Les vivants échangent de la matière et de l'énergie avec leur environnement. La matière circule sans cesse d'un organisme à l'autre. L'atmosphère et l'océan font partie de notre corps, comme la corne inerte de nos ongles. Les phénomènes biochimiques intéressent toute la biosphère.

Depuis quelques années, on constate un amincissement progressif de la couche d'ozone, au-dessus des pôles terrestres. Cette détérioration de notre bouclier contre les rayons ultraviolets du Soleil est, selon toute vraisemblance, provoquée par des gaz d'origine industrielle. Un moratoire a été signé pour l'arrêt de la fabrication de ces substances chimiques qui mettent en danger la vie sur les continents.

La carte de l'énorme est écartée

Les premiers pas hors de l'eau sont timides et craintifs (fig. 7). On ne sait pas s'en passer longtemps. Les nageoires se transforment, deviennent des pattes. Cela donne les grenouilles, qui ne s'aventurent jamais très loin de leur marécage natal. Leurs enfants sont plus braves. Ce sont les reptiles. Ils vont, de proche en proche, occuper toutes les surfaces continentales. La tendance ici est au gigantisme. La Nature joue la carte de l'énorme. C'est l'ère des dinosaures et autres sauriens. Pendant deux cents millions d'années, ils vont faire la loi sur notre planète. Puis ils disparaîtront...

Comme animés de l'esprit de conquête qui amène Hillary au sommet de l'Everest ou Scott et Amudsen au pôle, certains animaux vont tenter de décoller du sol (fig. 8). Cela donnera nos oiseaux, de l'aigle à l'oiseau-mouche. Des poissons envahiront les fosses océaniques. Pour y voir, et à la façon des lucioles, ils apporteront leur propre éclairage !

Fidèle à elle-même, la Nature joue. Tout essayer, tout explorer. Elle adore le défi. Elle y répond fort bien.

Le règne des dinosaures se termine, il y a soixante-cinq millions d'années. Ils disparaissent très rapidement, partout à la fois. Avec eux s'éteint presque un tiers des espèces végétales et animales, aussi bien terrestres qu'aquatiques. Les immenses forêts de fougères géantes, par exemple. Et aussi les ammonites, crustacés marins qui atteignaient un mètre de diamètre. Le souvenir de cet événement est inscrit dans les couches géologiques correspondantes. Ces couches contiennent les fossiles des plantes et des animaux éteints. On reconstitue ainsi la faune et la flore. La couche de soixante-cinq millions d'années révèle un changement brutal de population. Quelle est la cause de cet holocauste ? Il pourrait s'agir de l'arrivée au sol d'une grande quantité de matière extraterrestre, sous la forme d'une gigantesque météorite par exemple. Ou d'une pluie de poussières interstellaires

7. Ce petit animal aux yeux rouges est un poisson.
Grimpé sur une racine de palétuvier,
il explore le monde aérien. Ses nageoires lui
servent de pattes. Pour s'aventurer hors de sa mare,
il emmagasine de l'eau dans sa bouche, comme les plongeurs
sous-marins portent sur leur dos leurs bonbonnes d'oxygène.

au moment où le système solaire traversait un nuage opaque de notre Galaxie.

L'analyse de cette couche antique révèle en abondance un élément chimique rare sur la terre : l'iridium. Or, les météorites sont relativement riches en iridium. De même l'osmium, plus fréquent dans la matière météoritique que sur la Terre, y est bien représenté. Il est difficile d'ignorer

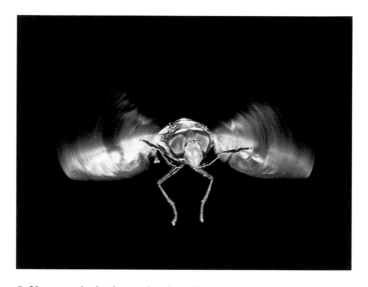

8. Une mouche butineuse bat des ailes pour s'envoler dans l'atmosphère. Elle ne vole pas très haut. Mais certains oiseaux atteignent des altitudes d'une dizaine de kilomètres.
La vie adore les défis. Son appétit de prouesses est sans limites. Tout essayer, tout expérimenter. Se transformer, s'adapter, développer des astuces nouvelles pour explorer des territoires encore vierges. Les fosses abyssales de la mer sont habitées. Les cris des oies sauvages font vibrer les hautes couches de l'atmosphère... Et les astronautes ont marché sur la Lune.

ces renseignements et de ne pas imaginer ici une relation de cause à effet.

Quel rapport peut-il y avoir entre la chute d'un bolide céleste et l'extermination massive d'animaux terrestres et aquatiques ? On ne le sait pas très bien. On imagine que l'impact a pu libérer de vastes quantités de poussières ensuite répandues dans l'atmosphère entière. Réduisant, pendant une période prolongée, l'arrivée au sol des rayons solaires, elles auraient ainsi provoqué une période de refroidissement généralisé et une diminution de la photosynthèse. Plus de plancton, plus de feuilles. Âge glaciaire et famine.

À plus petite échelle, les grandes éruptions volcaniques créent des événements semblables. L'éruption du Krakatoa en Indonésie, au siècle dernier, est responsable d'un été très froid dans la même année. De la neige en juillet en Nouvelle-Angleterre. Là aussi, des nuages de poussière sont restés pendant des mois en suspension dans l'atmosphère.

L'éruption du volcan Pinatubo, aux îles Philippines, a eu des répercussions analogues sur notre atmosphère. De tout cela, nous retiendrons que l'hécatombe semble bien avoir une cause extraterrestre. Il n'y a pas que les rayons cosmiques qui viennent du ciel pour influencer le cours de l'évolution biologique...

Plusieurs auteurs pensent que cette hécatombe a été bénéfique à une famille animale qui nous intéresse particulièrement : les mammifères. Comme les oiseaux, les mammifères sont les enfants des reptiles. Mais des enfants mal acceptés. Leurs parents, apparemment, ne leur laissaient pas beaucoup de chances. À cette époque, ils sont minuscules, semblables à des musaraignes. Ils vivent à l'abri, comme traqués. Ils évoluent très lentement. Mais, après la météorite, tout change. Leurs ennemis éliminés, ils prolifèrent. Ils se différencient de mille façons : chats, chiens, chevaux et tous leurs cousins. Notre lignée humaine se rattache à celle des grands singes. Ici, c'est le cerveau qui va s'accroître. En quelques millions d'années, sa masse passe de cinq cents à plus de quatorze cents grammes. Grâce à ce cerveau, nous sommes en mesure de prendre conscience de nous-mêmes comme de l'univers qui nous entoure.

La carte de la culture

Le tableau de l'évolution esquissé ici a montré le rôle prépondérant du patrimoine génétique, inscrit dans ces interminables molécules d'ADN (chap. IX, fig. 9 et 10) de nos cellules. On y trouve en détail toutes les instructions nécessaires à la vie et à la survie. Il prescrit les opérations automatiques de notre organisme. S'il fait chaud, je transpire pour maintenir la fraîcheur. S'il fait froid, ma peau se contracte. Je « sais » tout cela grâce à mes ancêtres animaux qui l'ont découvert, inscrit dans leurs gènes et fidèlement transmis au cours d'innombrables divisions cellulaires.

Mais cela ne représente qu'une partie de ce que je dois savoir pour rester en vie. S'arrêter au feu rouge, par exemple. Prendre des antibiotiques en cas d'infection grave. Cela n'est pas inscrit dans mes gènes. J'ai une autre source d'information. Tout ce que j'ai appris de mes parents, de la communauté humaine tout entière. Tout ce que j'ai découvert par moi-même, par mes expériences personnelles. Ce que l'on appelle la « culture ». Si les gènes sont le siège des instructions automatiques (ce que l'on appelle l'inné, ou encore « la nature »), c'est dans le cerveau qu'est stocké et contrôlé l'acquis, ou « culture ».

Ces deux modes de connaissance diffèrent sur plusieurs plans. Le patrimoine génétique présente l'avantage de l'automatisme et de la stabilité. Nous n'avons rien à apprendre. Notre corps sait respirer dès sa naissance. Il continue à le savoir tout au long de notre vie. Il transmet sa science à nos descendants. En contrepartie, ce mode de connaissance manque de souplesse. Il s'adapte avec difficulté. Il lui faut plusieurs générations pour réagir à un changement de conditions. Le temps qu'une nouvelle mutation se produise et se transmette à toute la lignée. En attendant, il peut y avoir beaucoup de victimes.

Certains papillons s'étaient bien adaptés à l'ère industrielle. Leurs ailes sombres se confondaient avec les pierres noircies des villes. Les oiseaux ne les voyaient pas. Mais ils sont devenus des proies faciles quand on a blanchi les murs. Récemment, on a constaté l'apparition d'une espèce plus pâle qui, à son tour, se camoufle sur les pierres blanchies. La mutation a eu lieu, mais plusieurs générations ont été sacrifiées...

Les instructions culturelles se modifient beaucoup plus rapidement. Mais il faut les apprendre, et on y passe toute sa vie.

Les hommes n'ont pas le monopole de la culture. On en trouve des formes rudimentaires chez les animaux, même primitifs. Les oiseaux d'une même espèce n'ont pas exactement le même chant. Il y a des innovations, qui se transmettent aux enfants et définissent des « dialectes ». Le tout se fait en une seule génération. Toujours au niveau des oiseaux et de leur petite cervelle proverbiale, on raconte l'anecdote suivante. Un jour, à Londres, des mésanges trouvent un nouveau moyen de s'alimenter. Elles repèrent les bouteilles de lait déposées devant les portes par les livreurs du petit matin. D'un coup de bec, elles défoncent le bouchon métallique et se délectent de la crème dont elles sont friandes. En quelques jours, la technique s'étend à plusieurs villes anglaises...

Plus près de nos expériences quotidiennes, qui n'a vu une mère chatte enseigner à ses petits à sauter un mur? Plus extraordinaire, le cas de cette guenon qui découvre comment séparer le riz du sable, en le jetant dans l'eau et en écumant. Elle enseigne le truc à sa famille... Et l'on découvre que, comme chez les humains, les jeunes singes adoptent facilement la technique, alors que les plus vieux restent méfiants. (Sur ce sujet, je vous conseille un livre passionnant : *The Evolution of Culture in Animals,* par John T. Bonner.)

9. La texture de cet iris illustre la richesse des formes
et des couleurs engendrées par le jeu des combinaisons
moléculaires.

Tout cela, bien sûr, reste rudimentaire par rapport au
développement de la culture humaine. Par l'invention du
langage, de l'écriture et de l'image, le patrimoine des
connaissances s'accroît prodigieusement. Et, par
rétroaction, la culture devient le moteur de l'évolution. Au
plan génétique et physiologique, comme vraisemblablement
au plan des capacités intellectuelles et émotives, l'homme
d'aujourd'hui n'est pas différent de l'homme des cavernes.
La maîtrise du feu comme les peintures de Lascaux
montrent que nos ancêtres n'avaient rien à nous envier. Et
leur insistance à enterrer leurs morts suggère que leurs états
d'âme étaient bien semblables aux nôtres. « Si j'ai pu voir
plus loin, disait Newton, c'est que j'ai pu monter sur les

épaules de mes prédécesseurs. » Entre l'homme primitif et l'homme moderne, il y a d'innombrables chercheurs, créateurs dans tous les domaines. C'est grâce à eux que nous pouvons survoler les océans glacés de Titan et explorer la nature des quasars.

La Nature joue à plusieurs niveaux

Le projet, ici, serait de repenser toute l'activité humaine, et en particulier l'activité artistique, en fonction de la vision du monde qui émerge aujourd'hui de la science moderne. Dans le contexte « l'univers a une histoire », qui implique l'organisation progressive de la matière, l'activité humaine prend une dimension nouvelle. Elle s'inscrit dans une trame qui s'étend depuis le début de l'univers jusqu'à aujourd'hui.

Nous sommes loin de la vision légaliste de l'univers que la science présente à la fin du XVIIIᵉ siècle. Les acquis de la physique moderne, les progrès de la biologie nous ont révélé la dimension d'indétermination du devenir du monde. Les lois de la Nature, bien sûr, ne tolèrent pas d'infraction. Mais, contrairement à ce qu'ont dit des États totalitaires, « tout ce qui n'est pas interdit n'est pas nécessairement obligatoire ». Pour décrire l'évolution de la vie sur la Terre, on peut parler du casino de la vie, illustrant ainsi le caractère ludique du comportement de la Nature.

J'ai souligné, à plusieurs reprises, le rôle primordial du hasard dans l'évolution de la matière. Dans les éprouvettes de Miller – qui simulent l'océan primitif –, il y a toujours des molécules complexes, mais les distributions des formes chimiques sont toujours différentes. À la surface de la Terre, les espèces animales se succèdent et se multiplient sans arrêt. La richesse, la diversité des faunes et des flores (fig. 13 et 14) témoignent de la fantaisie de la Nature (tout comme, peut-être, la variété des particules élémentaires dont jusqu'ici le physicien ne voit pas l'utilité). Dans un univers légaliste, une seule sorte de papillon suffirait à transporter le pollen des fleurs, mais on en compte des

11. Le mariage, parfois mortel, des insectes et des plantes.
Les insectes se nourrissent du suc des fleurs et, en échange,
ils transportent les pollens fertilisateurs. L'entraide se
retrouve à tous les niveaux de la complexité cosmique ;
les noyaux de carbone catalysent la fusion de l'hélium ;
les enzymes accélèrent le métabolisme animal.
Mais il y a des coups bas. Ces plantes carnivores
s'apprêtent à dévorer l'insecte imprudent
qu'elles ont capturé.

dizaines de milliers, tous différents, tous plus somptueux les
uns que les autres.

La façon de la Nature, c'est de tout essayer. Grâce à la
merveilleuse ADN, la vie, continuellement, produit de
nouvelles variétés plus colorées, plus chatoyantes.

Il était d'usage, encore récemment, d'insister sur le
caractère utilitaire des comportements animaux. Chaque
geste, disait-on, est dicté uniquement par les impératifs de la
survie et de la reproduction. Aujourd'hui, beaucoup de

12. « Depuis que Claude Monet a regardé les nymphéas, les nymphéas de l'Ile-de-France sont plus beaux, plus grands. »
GASTON BACHELARD

biologistes sont moins dogmatiques*. Je le serais aussi. Comment ne pas l'être en observant les ébats charmants des chiots et des chatons ?

La dimension de jeu devient autrement importante quand apparaît l'être humain. Grâce à ses moyens d'action sur la matière, grâce à son imagination et à son intelligence, l'homme joue à créer des *formes nouvelles,* inexistantes depuis le début de l'univers. En associant des couleurs, en alignant des mots, il prolonge, sur un registre plus vaste, l'activité ludique de la Nature. La capacité de choisir librement lui ouvre un champ de possibles quasi infini, que vient encore multiplier l'invention d'instruments inédits et

* Voir ici le beau livre de Claude Nuridsany et Marie Pérennou, *La Planète des insectes.*

de techniques nouvelles. Je pense ici aux appareils électroniques et aux développements informatiques, qui sont en train de révolutionner les diverses formes d'expression artistique.

La Nature, en jouant, invente l'être humain (fig. 15, 16 et 17). Ce fruit du jeu de la Nature joue à son tour à imaginer des êtres nouveaux. Quand le peintre rupestre de Lascaux agence des couleurs sur les murs de sa caverne, il poursuit, sans le savoir, l'activité créatrice que la Nature déploie depuis quinze milliards d'années. Par lui, maintenant, la Nature joue sur un deuxième plan.

On atteint un troisième plan quand l'œuvre artistique est perçue par une autre personne.

Mozart fait vibrer des cordes de l'âme humaine qui n'avaient jamais vibré auparavant. Est-ce que sa musique *crée* des émotions nouvelles, ou est-ce qu'elle *révèle* des possibilités déjà existantes ? Vieux problème sans solution. Nous touchons ici aux limites des mots, mal adaptés.

Schubert écrit ses chants, Wagner compose ses opéras et l'humanité accède à un niveau plus élevé de la richesse de vivre. La Nature joue sur ce troisième plan, dans l'exultation des derniers quatuors de Beethoven ou des nymphéas de Claude Monet (fig. 12).

Astronomie et imaginaire

Les canards à col vert sont parmi les plus beaux oiseaux que je connaisse. Je ne me lasse pas de les admirer, chaque fois que j'en ai la chance. Et pourtant, leur coloris bariolé m'intrigue. Bec jaune, tête verte, dos brun, pattes orange, un choix de couleurs qui ne vont pas nécessairement bien ensemble. « La Nature ne fait jamais d'erreurs », me disait un jour une amie artiste. Oui, mais pourquoi ? Peut-être précisément parce que, étant l'initiatrice, la Nature devient aussi sa référence ultime. C'est à son école que se forment le goût, le jugement, l'appréciation du beau. Les choix de la Nature en sont les critères.

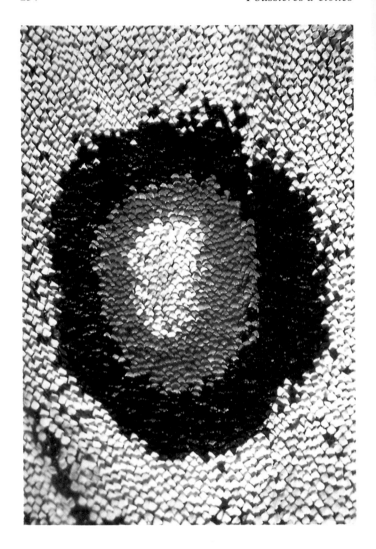

13-14. Les ailes des papillons sont des tableaux abstraits
où la nature, avec raffinement, agence les teintes les plus variées.
Mais les motifs sont encore soumis aux exigences de la survie.

Avec l'homme, la nature se libère de ces contraintes.
L'artiste prolonge la créativité ébauchée sur les ailes
des papillons.

15. Les neurones agissent comme des centraux téléphoniques. Le petit triangle rouge constitue le corps neuronal de la cellule (grossi à peu près deux mille fois). De chaque pointe émerge un faisceau qui se ramifie en filaments multiples. Chacun va se brancher sur un autre neurone. Le cerveau animal est composé de milliards de neurones interconnectés. C'est l'opération coordonnée de cette incroyable machinerie qui met au monde la conscience.

Ci-contre :
16. Dans la flore utérine, un spermatozoïde se fraie un chemin. Il véhicule la moitié du message requis pour fabriquer un être humain. Langage caché, l'alphabet du code est composé de molécules, elles-mêmes formées d'atomes, eux-mêmes formés de noyaux eux-mêmes formés de quarks. Tous les chapitres de l'organisation de la matière concentrés en un volume microscopique, invisible à l'œil nu (grossi ici 7 800 fois).

Depuis l'âge des cavernes, l'activité artistique est le fruit d'une relation profonde, quasi mystique, entre l'homme et l'univers. Jusqu'à très récemment, cette relation s'exprimait aussi dans le contexte des sentiments religieux. Sous l'aspect de mythologie tribale ou de religions élaborées, un mode d'échange gouvernait les rapports entre les êtres humains et l'« au-delà ». Le ciel était peuplé d'êtres fantastiques qui, d'une façon ou d'une autre, s'occupaient de nous. Ce ciel n'était pas très loin, et il se manifestait clairement par des événements spectaculaires comme la foudre, l'alignement des planètes ou encore l'effroyable spectre des comètes.

Avec l'avènement de la rationalité, avec la révolution scientifique, tout cela change radicalement.

L'univers prend des proportions incommensurables. Des objets nouveaux, inouïs et extravagants, l'habitent et y exercent des activités hors de proportion avec nos images familières. Notre Soleil devient bien inquiétant

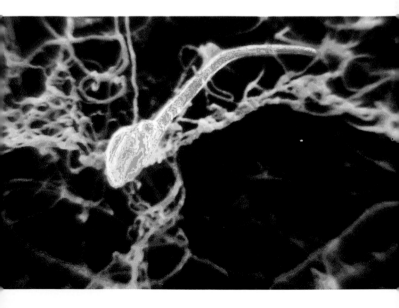

sous l'œil des télescopes. La moindre éruption à sa surface met en jeu des énergies qui jetteraient dans la stupéfaction et dans l'envie les ministères de la Guerre de tous les continents réunis. En parallèle, l'esprit humain accroît sa puissance et pénètre plus profondément dans la réalité de la Nature. Les orbites des planètes obéissent à des lois simples, découvertes par Newton. Dans ce contexte, les rencontres des corps célestes et leurs éclipses sont de simples incidents de parcours, sans signification profonde.

L'antique dialogue entre l'univers et l'être humain est-il devenu caduc ? Je crois plutôt qu'il est à reformuler sur des bases nouvelles, des bases qui intègrent tout l'acquis des sciences. C'est dans cette optique que j'ai écrit ce livre. Notre rapport avec la Nature s'est largement enrichi. Les événements cosmiques illustrés dans ces pages – effondrement de nébuleuses, explosion d'étoiles – ont beaucoup plus de signification pour nous que l'apparition des comètes et des étoiles filantes.

S'il faut comprendre ces événements, il importe aussi de contempler ces paysages nouveaux pour en percevoir l'harmonie, pour en sentir la beauté. Au même titre que les fleurs et les couchers de soleil, ils sont l'œuvre de la grande initiatrice artistique qu'est la Nature. Ils sont riches d'inspiration et d'enseignement. Ils peuvent nourrir l'imaginaire de l'être humain.

Avec un professeur de dessin, Jacques Véry, et un professeur de français, Éliane Dauphin, j'ai eu l'occasion de participer, il y a quelques années, à une expérience pédagogique autour de ce thème. Pendant plus d'un an, nous avons réuni régulièrement des adolescents de douze à quinze ans. Nous les avons plongés dans une ambiance astronomique en projetant et en commentant des photos du ciel. L'adolescence est probablement la meilleure période pour ce type d'expérience. En elle s'agitent des courants profonds et s'éveillent des forces sourdes qui cherchent à s'exprimer. C'est un âge neuf, sans préjugés culturels, une période de grande créativité.

17. Cette bonne figure épanouie du bonheur de vivre
est celle d'un vieil ami à moi. Je n'ai pas pu trouver
mieux pour illustrer l'avènement dans la nature
de la conscience et de l'intelligence.

Les résultats ont été étonnants. Ils ont fait l'objet d'un
album*. Il ne s'agit pas de chefs-d'œuvre : tel n'était
pas le but de l'opération. Les premiers bénéficiaires sont
sans doute les jeunes adolescents eux-mêmes, qui ont
ainsi trouvé l'occasion d'enrichir leur imaginaire et de le
projeter dans des œuvres dont ils ont toutes les raisons
d'être fiers.

* *Soleil*, Genève, Éditions la Nacelle, 1991.

Une intention dans la nature ?

La vie n'est pas improbable

Mettez un singe devant une machine à écrire. Laissez-le taper à son aise. Selon certains auteurs, la probabilité d'apparition de la vie sur la Terre serait plus faible encore que celle de voir notre singe écrire sans faute l'œuvre complète de Shakespeare.

Il y a plusieurs façons de réagir à cette affirmation. Pour Jacques Monod, il faut y voir la preuve que l'antique alliance entre l'homme et l'univers – cette alliance qui alimente les mysticismes et les religions – est un mythe à dénoncer avec vigueur. « La matière n'est pas grosse de la vie et la vie n'est pas grosse de l'homme. » En corollaire, il faudrait reconnaître que nous sommes certainement seuls dans l'univers. C'est par un incroyable effet du hasard que la vie est apparue sur la Terre. Un hasard qui n'a aucune chance de se reproduire ailleurs.

Cette dénonciation du lien entre l'homme et l'univers est intégrée par de nombreux courants philosophiques modernes. Pour Sartre, « nous sommes de trop ». Pour Camus, notre vie baigne dans l'absurde, comme celle du malheureux Sisyphe appelé à rouler indéfiniment sa pierre jusqu'au sommet d'une montagne. Pour d'autres auteurs,

---

1. Au royaume des cristaux de neige. Au départ, des molécules d'eau qui s'enfoncent lentement dans une atmosphère froide, sursaturée d'humidité. Au hasard des rencontres, elles se joignent et s'associent. Les lois immuables de la cristallisation admettent une très grande variété de géométries cristallines. La diversité quasi infinie et la beauté des cristaux de neige illustrent l'efficacité du jeu subtil du hasard et des lois de la physique.

l'extrême improbabilité de la vie prouve au contraire une intervention extraterrestre. Les astrophysiciens Hoyle et Wickramasinghe pensent que des « gènes cosmiques » viennent régulièrement de l'espace ensemencer notre planète et relancer la marche de l'évolution.

Pourtant, deux découvertes fondamentales des dernières décennies montrent que la matière s'organise beaucoup plus efficacement qu'on pourrait le penser. Ces deux découvertes, déjà mentionnées dans ce livre, suggèrent que *la vie n'est pas improbable*. Il convient de les répéter.

D'abord, les expériences de Urey et Miller, au cours des années cinquante, sur la simulation de l'atmosphère primitive. Les résultats ont jeté la communauté scientifique dans la stupéfaction. Il paraissait *a priori* excessivement improbable que des molécules de sucre, d'alcool, d'acides aminés puissent se former par le seul jeu des décharges électriques sur des molécules d'eau, de méthane et d'ammoniac. On peut aujourd'hui analyser et comprendre ce qui se passe. Et se convaincre, *a posteriori*, qu'il n'y a rien là de particulièrement improbable.

Ensuite, la détection imprévue d'une profusion de molécules interstellaires incorporant jusqu'à dix ou douze atomes. Là aussi, grand effet de surprise ; l'espace est vide et froid, et les rencontres entre les atomes sont rares. Plus tard, on a compris. Certaines réactions profitent de la présence des poussières. Les atomes se collent à la surface des grains et y trouvent des partenaires. Les rayons cosmiques accélèrent certains phénomènes. Maintenant, tout s'explique, mais encore une fois *a posteriori*.

On a oublié ici une vérité élémentaire : *on ne peut pas calculer la probabilité d'un événement si l'on ne sait pas comment il se produit !* Imaginez, au casino, une roulette dont les joueurs ne connaîtraient pas le nombre de cases. Comment savoir si l'enjeu en vaut la peine ?

À Jacques Monod, comme à Fred Hoyle, on peut répondre :

1) Nous ne pourrons pas calculer la probabilité d'apparition de la vie sur la Terre tant que nous ne connaîtrons pas tous les

processus, tous les mécanismes impliqués dans cette longue évolution. Nous en sommes encore très loin.

2) Les deux découvertes décrites plus haut nous indiquent que nous avons fortement tendance à sous-évaluer l'efficacité d'association des atomes. Ces résultats cadrent bien avec l'esprit de ce livre : la matière adore s'organiser ; *la vie est une propriété de la matière.*

La vie implique l'expansion de l'univers

La vie semble être en opposition avec les lois de la physique et de la chimie. La matière a tendance à se désorganiser. La vie, au contraire, se manifeste par une organisation progressive des atomes, progression illustrée tout au long de ce livre. D'où, selon certains auteurs, la nécessité de faire appel à un principe extérieur, à une création d'ordre dans le désordre. C'est la thèse défendue récemment par un groupe d'enseignants américains. Cela s'appelle le « créationnisme », en opposition à l'« évolutionnisme » des biologistes.

Il s'agit, en fait, d'une interprétation incomplète et en conséquence erronée d'un principe de physique : le « second principe de la thermodynamique ». Il faut bien distinguer ici entre le *local* et le *global*. Rien ne s'oppose à ce que la matière s'organise en un *lieu donné*, sur la Terre, par exemple, pourvu que ce gain d'ordre s'accompagne en même temps d'un accroissement du désordre *dans l'ensemble de l'univers*. Personne ne crie au miracle quand les lacs de montagne gèlent en hiver. Dans l'eau liquide, les molécules errent au hasard. Leurs mouvements sont désordonnés. Dans la glace elles sont fixées, chacune à leur place, dans la maille du cristal. Grâce à cet agencement, l'eau devient solide. Le passage de l'état liquide à l'état solide (glace) constitue un gain d'ordre. Que s'est-il passé ? Simplement, au moment du gel, le lac a dégagé de la chaleur. Cette chaleur s'est dissipée dans le ciel. Elle va quitter la Terre, sortir du système solaire, de

la Galaxie elle-même. Elle se perdra dans le vaste espace
en expansion entre les galaxies. Or, pour le physicien,
cette chaleur représente de l'« entropie », c'est-à-dire du
« désordre ». En se propageant au loin, elle augmente le
désordre global de l'univers. Et cet accroissement du
désordre global est plus grand que le gain d'ordre dans le
lac (le physicien sait faire un bilan numérique). C'est là
tout ce qu'exige le second principe de la thermodynamique.

Cet espace entre les galaxies devient, en quelque sorte,
une « poubelle » dans laquelle cette chaleur, ce désordre,
peut aller se perdre. Nous voilà confrontés à une réalité
assez stupéfiante. C'est parce que notre univers est en
expansion que l'espace, augmentant continuellement de
volume, peut jouer ce rôle. Si l'expansion s'arrêtait, la
« poubelle » se remplirait, déborderait et bloquerait la
croissance de l'ordre. Pire, elle détruirait progressivement
cet ordre et nous ramènerait au chaos initial. C'est bien là ce
qui se passerait si, après la phase présente d'expansion,
l'univers devait passer ultérieurement par une phase de
contraction. (Mais, à la lumière de nos connaissances
présentes, ce retournement de la situation semble peu
vraisemblable.)

Le phénomène de l'expansion de l'univers fait intervenir
le mouvement de galaxies situées à des millions d'années-
lumière. On ne peut l'appréhender qu'avec la technologie
moderne la plus sophistiquée. En conséquence, on pourrait
le croire totalement étranger à notre existence sur la Terre. Il
en est, au contraire, une condition essentielle. Sans cette
expansion, sans ce vide immense et glacial qui se creuse
entre les galaxies, aucune matière n'aurait pu s'associer ;
aucune molécule complexe, aucun organisme, aucun
cerveau humain ne serait venu au monde. L'existence et le
fonctionnement de notre conscience requièrent et exigent ce
mouvement universel qui entraîne irrésistiblement les
galaxies à des distances toujours plus grandes.

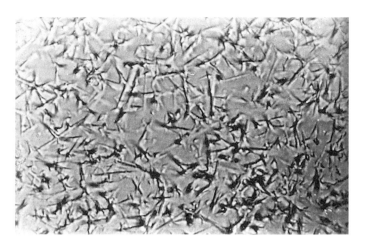

2. J'ai tenu à présenter dans ce livre nos amis les rayons cosmiques, qui jouent un rôle si important dans l'organisation de la matière. Au niveau nucléaire, ils engendrent trois éléments chimiques, le lithium, le béryllium et le bore. Au niveau atomique, ils catalysent les réactions chimiques de l'espace interstellaire et de l'atmosphère primitive. Au niveau biologique, ils provoquent les mutations génétiques responsables de l'évolution.
Chaque trait sombre est le tracé laissé par un rayon cosmique dont la course s'est arrêtée dans une pierre transparente.
C'est le hasard, dont il est tellement question dans ce livre, qui oriente ces traces. Cette photo me permet, en quelque sorte, de vous le présenter.
Comparez cette figure à la précédente. Ici, aucun ordre n'émerge de la superposition des trajectoires. Le hasard *seul* est à l'œuvre ; d'où l'aspect chaotique de l'ensemble. C'est par le jeu combiné des lois (les cristaux doivent avoir six pointes) et du hasard (la forme indéterminée des pointes) que naît la beauté des flocons de neige.
Le *hasard pur* n'engendre que le chaos. Le *déterminisme pur* ne crée rien de nouveau. C'est l'*association* de ces deux facteurs qui donne naissance à la richesse et à la variété des formes de la nature.

La vie implique beaucoup
de « coïncidences »

Si l'expansion est une condition de l'organisation, elle n'en est pas le moteur. Elle n'explique pas, à elle seule, pourquoi le chaos originel s'est, en certains lieux privilégiés, organisé au lieu de rester dans son état initial. Jacques Monod a bien délimité les deux facteurs qui président, en quelque sorte, à cette gestation cosmique : le hasard et la « nécessité ». Le hasard, nous l'avons vu à l'œuvre tout au long des chapitres qui précèdent : hasard des collisions nucléaires à l'intérieur des étoiles, hasard des bombardements de rayons cosmiques sur les poussières interstellaires et dans l'océan primitif, hasard des mutations sur les molécules des gènes. Le mot « nécessité » est un terme poétique issu de la mythologie grecque : l'inévitable « moira ». Le physicien préfère parler des lois de la Nature : ces lois mystérieuses dont la physique moderne commence à scruter les origines. (Il est bon de répéter, ici, que les phénomènes de la vie, tout comme les réactions de la matière dite « inerte », suivent scrupuleusement les lois de la physique.)

Ces lois décrivent le comportement des forces qui s'exercent entre les particules de matière. Nous sommes maintenant familiers avec ces forces. Force de gravité pour les étoiles et les planètes, force électromagnétique pour les atomes et les molécules, forces nucléaires (la forte et la faible) pour les noyaux et les nucléons (protons et neutrons). Chacune à son niveau assure la cohésion des édifices de la Nature.

Les physiciens ont longuement étudié les propriétés de ces forces. Ils savent les décrire avec une grande précision. On peut les classer par leur « intensité » (une autre façon de dire leur « force »). La force nucléaire, dite « forte », par exemple, est à peu de chose près *cent* fois plus forte que la force électromagnétique.

Ce nombre joue un rôle particulièrement important dans

la structure de la matière. C'est lui qui est responsable de la très grande puissance des armes nucléaires par rapport aux bombes traditionnelles (dont la puissance repose sur la force électromagnétique). C'est encore lui qui donne aux atomes leur architecture particulière : un minuscule noyau (puissamment soudé par la force nucléaire), entouré d'un grand cortège d'électrons de structure beaucoup plus souple (liés par la force électromagnétique). Grâce à la souplesse de ce cortège, les atomes peuvent s'associer pour former des molécules stables. Ces molécules peuvent interagir selon des modalités infiniment variées. Le monde vivant peut accéder à son niveau de richesses et de diversité.

Mais il y a plus. Pour illustrer ce point, prenons deux protons, rapprochons-les pour en faire un noyau stable. Ça ne marche pas. Ils se repoussent. La force nucléaire n'est pas tout à fait assez puissante. Il manque très peu de chose. Imaginons maintenant un autre univers, issu comme le nôtre d'un chaos initial, mais dans lequel la force nucléaire serait un tout petit peu plus forte. Juste ce qu'il faut pour lier les deux protons en un noyau stable. Un tel univers aurait vraisemblablement une histoire très différente. Dès les premières minutes, tous les protons (l'hydrogène) se combineraient en noyaux lourds. Ces réactions épuiseraient pratiquement toutes les réserves d'énergie nucléaire que contient l'univers. Les étoiles, nées plus tard dans cet univers sans hydrogène, auraient des vies extrêmement abrégées. Sous l'aiguillon implacable de la gravité, elles se précipiteraient vers la mort sans s'attarder, comme le fait notre Soleil, à réchauffer pendant des milliards d'années leur hypothétique cortège planétaire.

Sans hydrogène, ce cortège planétaire serait d'ailleurs bien différent du nôtre ! Pas d'eau, pas de méthane, pas d'ammoniac. Pas d'océan primitif pour abriter le jeu des combinaisons chimiques. Aucune des molécules géantes qui caractérisent la machinerie de la vie, protéines, enzymes, ADN, ne pourraient s'y former. D'abord à cause de l'absence d'hydrogène, atome essentiel à leur structure.

Ensuite, à cause de l'aridité des surfaces planétaires. Et finalement à cause de la trop courte durée des étoiles nourricières.

Imaginons maintenant de réduire un peu la force nucléaire. Cette fois, c'est la stabilité des atomes qui serait affectée. La majorité des noyaux lourds sont tout juste stables. Un grand nombre d'entre eux deviendraient radioactifs. Leur durée de vie serait considérablement écourtée.

Le lecteur se demande peut-être si cette discussion a vraiment un sens. Peut-on, ainsi, imaginer un univers dans lequel on puisse *arbitrairement* altérer l'intensité des forces ? Peut-être cette intensité est-elle fixée par une autre loi plus fondamentale encore ? Personne, aujourd'hui, ne peut répondre à cette question. Quelle que soit la réponse, il n'en reste pas moins que l'intensité de la force nucléaire, par une « coïncidence » singulière, est admirablement adaptée à l'élaboration des structures complexes et à l'émergence de la conscience.

Ce n'est pas le seul cas. Parmi les valeurs numériques qui caractérisent les lois de la physique, il y a beaucoup de « coïncidences » étonnantes. Jouons à nouveau à construire, par la pensée, des univers où ces valeurs numériques seraient différentes. Choisissons-les au hasard. Encore une fois, il est facile pour le physicien de démontrer que *la quasi-totalité de ces univers n'aurait ni les forces requises ni la durée nécessaire pour élaborer et abriter les molécules géantes de la vie.* La nécessité dont nous parle Jacques Monod se réduit, en fait, à *une* nécessité bien spécifique, admirablement ajustée pour que, par le jeu du hasard et des milliards d'années, l'univers devienne observable et observé*.

Un singe qui tape au hasard sur une machine peut-il écrire l'œuvre de Shakespeare ? Cela semble bien peu probable. Pourtant cela n'est pas impossible. Il y a deux conditions

---

* Lire à ce propos, dans *L'Homme et le Cosmos,* de Barrow et Tipler, où dans la postface, j'ai repris ce thème du « principe anthropique ».

essentielles. D'abord, *qu'il y ait des lettres* sur les touches de sa machine. Ensuite, *qu'on le laisse écrire suffisamment longtemps* pour que l'événement improbable finisse par se produire.

Ces deux conditions s'appliquent aussi bien à l'apparition de la vie dans les océans. Les lettres de la machine à écrire sont les différentes espèces atomiques. C'est parce que ces atomes ont reçu, à leur naissance, des propriétés bien spécifiques que leur séquence forme un langage et que le jeu de leur association peut, au long des ères, écrire le roman de la vie.

La durée de la séance de dactylographie devient, dans notre analogie, la durée de l'univers, la durée du Soleil. La physique de notre univers donne aux atomes les propriétés requises et assure aux étoiles les durées suffisantes. Le physicien d'aujourd'hui découvre que *cela n'est pas banal.* Ces conditions sont accomplies grâce à un ajustement étonnant de certains paramètres physiques qui, dès le départ, caractérisaient notre univers.

La question du sens

Cela nous mène naturellement vers des considérations plus philosophiques. « Y aurait-il une intention dans la Nature ? » demandent souvent les auditeurs de mes conférences. Avec cette question, nous passons sur un autre plan : celui de l'interprétation. Ce plan fait intervenir deux éléments différents. D'abord, les faits, que les apports de la science nous présentent d'une façon relativement objective. Ensuite, la personnalité de celui qui pose la question ; sa sensibilité, son éducation, son milieu social.

L'idée d'une intention dans la Nature vous est-elle sympathique ? Si elle s'accorde à votre tempérament, vous trouverez facilement parmi les faits scientifiques tout ce qu'il faut pour la justifier. Si cette idée vous irrite, aucun motif de conviction ne surgira de ces pages. Votre vérité vous appartient. Elle est inaliénable...

Il est important, je crois, de reconnaître et d'accepter le fait que les opinions philosophiques et religieuses sont des visions subjectives, inexportables, sauf entre ceux qui s'y reconnaissent. La « vérité absolue » est un mythe dangereux qui fonde les intolérances et les guerres de religion. Celui qui croit détenir la vérité veut l'imposer aux autres. L'inquisition utilise la force et même la mort comme moyen de persuasion...

On m'a souvent accusé de dévaloriser la philosophie et la religion en les reléguant dans le domaine du subjectif. Mais à mon avis, le subjectif est bien plus important que l'objectif. Hors du laboratoire, hors de la salle de cours, nous sommes tous confrontés aux problèmes de la vie, de la souffrance et de la mort. Il faut faire des choix, prendre des positions, développer une morale. Ces choix, ces positions, cette morale s'appuient sur notre propre vision du monde, sur notre propre interprétation de la réalité. C'est là que le subjectif prend toute son importance.

Je dois reconnaître que cette discussion est fortement biaisée par le discours même de ce livre. La question « Y a-t-il une intention dans la Nature ? » exige que l'on prenne en considération toutes les manifestations de cette Nature. Par sympathie pour tel type de conclusion, on peut être amené, plus ou moins consciemment, à sélectionner les événements qui cadrent avec cette option et à ignorer ou à sous-estimer les autres. Le psychologue Piaget parle à ce propos de « refoulement cognitif », à mettre en parallèle avec le refoulement affectif de Freud. Pour attraper les poissons que l'on aime, il suffit de pêcher dans les eaux qu'ils fréquentent.

Les thèmes développés au long de ce livre sont de nature à suggérer que la réalité a un « sens ». L'ordre émerge du chaos initial. La vie se développe en se perfectionnant. L'être humain prend conscience de l'univers qui l'entoure et s'émerveille de son ordre et de sa beauté.

Aux niveaux inférieurs de l'organisation matérielle : nucléons, atomes, molécules, tout « baigne dans l'huile ». Mais, déjà, au niveau animal, nos sensibilités sont

3. À partir du même dessin étoilé, la vie va bien
au-delà des possibilités du cristal.

quelquefois heurtées par les voies de la Nature. Je me souviens d'un papillon agressé et dévoré dans la toile d'une araignée. Dans la douceur d'un crépuscule d'été au bord d'un lac italien, la brutalité de cette scène m'a profondément choqué et perturbé.

Pourtant, on l'a vu plus tôt dans un cadre plus vaste, ces événements ne sont pas complètement absurdes. L'évolution animale se joue par la mort. « J'ai faim, dirait l'araignée au papillon. Mon malheur s'arrêtera quand j'aurai fait le tien. » La sensibilité de la Nature n'est pas la nôtre, mais la vie s'est perfectionnée à la surface de la Terre.

Mais que dire de l'histoire des hommes ? Une suite de guerres et de carnages. Les massacres succèdent aux massacres, avec une seule évolution : celle de l'efficacité des armes et de l'amplitude des dégâts.

L'homme, fruit ultime de la Nature (sur la Terre, sinon ailleurs), a su domestiquer les énergies physiques mais se montre bien impuissant à contrôler sa propre psyché. Sa rationalité lui offre bien peu de protection quand les forces inconscientes le débordent et se transforment en éruption de barbarie à l'échelle planétaire. L'ex-Yougoslavie nous en a donné récemment encore un tragique exemple.

Bien sûr, il y a aussi la tendresse humaine,
la musique de Mozart et les vins de Bourgogne...
S'il y a une Intention dans la Nature,
quelle est son intention ?

Bibliographie

Le Grand Atlas de l'astronomie, Paris, Encyclopædia Universalis, 1993.

Le Grand Atlas de l'espace, Paris, Encyclopædia Universalis, 1989.

Allègre Claude, *L'Écume de la Terre*, Paris, Fayard, 1982.

De la pierre à l'étoile, Paris, Fayard, 1985.

Barrow John, Tipler Frank, *L'Homme et le Cosmos,* Paris, Éd. Imago, 1984.

Bateson Gregory, *La Nature et la pensée*, Paris, Éd. du Seuil, 1984.

Bonner John T., *The Evolution of Culture in Animals*, Princeton University Press, 1980.

Brunier Serge, *Architecture de l'univers*, Paris, Bordas, 1985.

Voyage dans le système solaire, Paris, Bordas, 1993.

Cassé Michel, *La Vie des étoiles*, Paris, Nathan, 1986.

Cirou Alain, *L'infiniment loin*, Paris, Hachette, 1992.

Clarke Robert, *Naissance de l'Homme*, Paris, Éd. du Seuil, coll. « Points Sciences », 1982.

Colinvaux Paul, *Invitation à la science de l'écologie*, Paris, Éd. du Seuil, coll. « Points Sciences », 1993.

Collectif, *La Recherche sur les origines de l'univers*, Paris, Éd. du Seuil, coll. « Points Sciences », 1991.

Coppens Yves, *Le Singe, l'Afrique et l'Homme*, Paris, Hachette-Pluriel, 1985.

Danchin Antoine, *Une Aurore des pierres : aux origines de la vie*, Paris, Éd. du Seuil, 1990.

Frisch Karl von, *Vie et mœurs des abeilles*, Paris, Albin Michel, 1955.

Gould Stephen Jay, *Darwin et les grandes énigmes de la vie*, Paris, Éd. du Seuil, coll. « Points Sciences », 1984.

Hardy D. A. et Murray J., *Les Volcans*, Paris, Atlas, 1992.

Harrison Edward., *Le Noir de la nuit*, Paris, Éd. du Seuil, 1990.

Heidmann Jean, *L'Odyssée cosmique*, Paris, Denoël, 1986.

Jacob François, *Le Jeu des possibles*, Paris, Fayard, 1981.

Jacquard Albert, *Inventer l'Homme*, Bruxelles, Éd. Complexe, 1984.

Lachièze-Rey Marc, *L'Histoire de l'univers*, Paris, Éd. du Mail, 1986.

La Cotardière Philippe de, *Astronomie*, Paris, Larousse, 1981.

Langaney André, *Le Sexe et l'innovation*, Paris, Éd. du Seuil, coll. « Points Sciences », 1987.

Luminet Jean-Pierre, *Les Trous noirs*, Paris, Éd. du Seuil, coll. « Points Sciences », 1992.

Lucrèce, *De la nature des choses*, Paris, Société d'édition « Les Belles Lettres », 1984.

Nuridsany Claude, Pérennou Marie, *La Planète des insectes*, Paris, Éd. Arthaud, 1983.

Pellequer Bernard, *Petit Guide du ciel*, Paris, Éd. du Seuil, coll. « Points Sciences », 1990.

Pelt Jean-Marie, *Le Monde des plantes*, Paris, Éd. du Seuil, coll. « Petit Points », 1993.

Rosnay Joël de, *L'Aventure du vivant*, Paris, Éd. du Seuil, coll. « Points Sciences », 1988.

Sagan Carl, *Cosmos*, Paris, Éd. Mazarine, 1981.

Schatzman Evry, *Les Enfants d'Uranie*, Paris, Éd. du Seuil, 1986.

Silk Joseph, *The Big Bang*, San Francisco, Freeman, 1980.

Thomas Lewis, *Le Bal des cellules*, Paris, Stock, 1977.

Weinberg Steven, *Les Trois premières minutes de l'univers*, Paris, Éd. du Seuil, coll. « Points Sciences », 1980.

Remerciements

La liste serait longue de tous ceux qui, de près ou de loin, m'ont aidé à écrire ce livre. Un nom émerge : celui de Philip Morrison (maintenant professeur au MIT, Cambridge, États-Unis). Étudiant à l'Université Cornell aux États-Unis, j'assistais assidûment à tous ses cours, à toutes ses conférences. Sens aigu de la physique, perception à la fois scientifique et poétique de la réalité, clarté pédagogique, enthousiasme contagieux, voilà les mots qui me viennent à l'esprit à son sujet. J'en garde le souvenir d'instants de grand plaisir.

Le texte a été lu et relu par maintes personnes avant de prendre sa forme présente : Camille Scoffier, Jean-Paul et Fred Meyer, Michel Cassé, Isabelle Montpetit, Vievotte Dubois, Jocelyne Duval, Nicolas Reeves et Jean-Marc Lévy-Leblond.

Des documents photographiques m'ont été fournis par Jean-Marie Baufle, Jean-Pierre Caulet, Raymond Hellio, Jacques Labeyrie, Claude Nicollier, Claude Nuridsany et Marie Pérennou, Paul Pellas, Antoinette Ryter, Alain Superbie, et Jacques Véry. Plusieurs schémas ont été réalisés par mon fils Nicolas Reeves.

C'est à Andrée Bachand-Mayers que je dois la phrase citée au début du livre et qui en a inspiré le titre.

Je les remercie toutes et tous.

Du même auteur

Évolution stellaire et Nucléosynthèse
Gordon and Breach/Dunod, 1968

Soleil
en collaboration avec J. Véry,
E. Dauphin-Lemierre et les enfants d'un CES
La Nacelle, Genève, 1991

Patience dans l'azur
Seuil, coll. « Science Ouverte », 1981
et coll. « Points Sciences », 1988 (nouvelle édition)

L'Heure de s'enivrer
Seuil, coll. « Science Ouverte », 1986
et coll. « Points Sciences », 1992

Malicorne
Seuil, coll. « Science Ouverte », 1990

Compagnons de voyage
en collaboration avec J. Obrénovitch
Seuil, 1992

Comme un cri du cœur
Ouvrage collectif
L'Essentiel, Montréal, 1992

À paraître : septembre 1994
Les Dernières Nouvelles du Cosmos

Illustrations

Anglo-Australian Telescope Board (Dr. Malin) : p. 63 ; p. 67 ; p. 85 ; pp. 90-91 ; p. 93 ; p. 122 ; p. 142 ; Association française d'astronomie : p. 6 ; p. 33 ; p. 177 ; p. 186. Jean-Marie Baufle / Service de photographie et de cinématographie, Museum d'histoire naturelle, Paris : p. 157 ; p. 215 ; p. 251. Serge Brunier / Ciel et Espace : p. 115. BSIP : p. 237. California Institute of Technology : pp. 50-51 ; pp. 98-99 ; p. 102 ; p. 185 ; p. 187 ; p. 188 ; p. 189 ; p. 200 ; p. 201. Jean-Pierre Caulet / Laboratoire de géologie / Museum national d'histoire naturelle, Paris : p. 212. Centre national de recherche iconographique, Paris : p. 24 ; p. 236. Ciel et Espace / NASA : p. 43 ; p. 121 ; pp. 182-183 ; pp. 190-191. CRDP Strasbourg : p. 108. De Sazo / Rapho : p. 221. D. R. : p. 38 ; p. 145. ESO (Dr. West) : p. 68. Giraudon / Lauros : p. 232. Amédée Guillemin : p. 154. Hale Observatory : p. 34 ; p. 35 ; p. 54 ; p. 65 ; pp. 72-73 ; p. 127 ; p. 132 (W. C. Miller) ; p. 133 (W. C. Miller) ; p. 135 ; p. 175-h. Hansen Planetarium, Salt Lake City, Utah : p. 162. Raymond Hellio / Institut Pasteur, Paris : p. 209. J. F. Hellio / Explorer : p. 10. Hertzberg Institute, Ottawa : p. 113. Dr. Isobe, université de Tokyo : p. 88. Ray Kavir / Solar Film : p. 168. Kitt Peak National Observatory : p. 74 ; p. 137 ; p. 149. Charles Lenars / Atlas Photo : p. 165. Jacques Labeyrie / Centre des faibles radioactivités, CNRS : p. 159. Lick Observatory, University of California : p. 14 ; p. 37 ; p. 96 ; p. 130 ; p. 143 ; p. 144. Glenn J. Mac Pherson, University of Chicago : p. 160 ; p. 161. Mount Wilson and Palomar Observatories : p. 56. NASA : p. 16 ; p. 29 : p. 31 : p. 32 ; p. 59 ; p. 106 : p. 151 ; p. 155-h ; p. 155-b ; p. 166 ; p. 175-b ; p. 178 ; p. 179 ; p. 181 ; p. 184 ; p. 192 ; p. 194 ; p. 195. Claude Nicollier : p. 36. Claude Nuridsany et Marie Pérennou : p. 210 ; p. 220 ; p. 222 ; p. 224 ; p. 225 ; p. 231 ; p. 234 ; p. 235 ; p. 240. Paul Pellas / Laboratoire de minéralogie, Museum d'histoire naturelle, Paris : p. 245. Publi-Press : pp. 202-203. M. Seldner, B. Siebers, E. G. Groth, P. J. E. Peebles : p. 77. Alain Superbie / ADEC : p. 205. Treugesell Verlag : p. 66 ; p. 118. Université de Hawaï : pp. 170-171. U.S.I.S. : p. 19. US Naval Observatory : p. 66 ; p. 103. Jacques Véry : p. 23 ; p. 229 ; p. 239. Weiss / Rapho : p. 209. D'après Wynn Williams et Becklin, 1971 : p. 97. Les schémas p. 40 ; p. 45 ; p. 47 ; p. 60 ; p. 71 ; p. 78 ; p. 79-h ; p. 79-b ; p. 89 ; p. 124 ; p. 146 ; p. 147 ; p. 148 ; p. 208 sont de Nicolas Reeves.

Maquette et réalisation Pao Le Livre à Venir
Photogravure : Charente Photogravure, Angoulême
Achevé d'imprimer par Mame Imprimeurs, à Tours
D. L. mai 1994. N° 22407 (13833)

Ce livre voudrait être une ode à l'univers.
J'ai tenté de rendre hommage
à sa splendeur et son intelligibilité,
d'exprimer à la fois sa créativité,
son inventivité, sa beauté et sa richesse.
J'ai voulu donner à contempler
et à comprendre.

Hubert Reeves.

Seuil, 27 r. Jacob, Paris 6
ISBN 2.02.022407.0 / Imp. en France 5.94

cat. **F**